A verdadeira religião

Dados Internacionais de Catalogação na Publicação (CIP)
(Câmara Brasileira do Livro, SP, Brasil)

Santo Agostinho, 354-430
   A verdadeira religião / Santo Agostinho ;
tradução de Ary E. Pintarelli. – Petrópolis, RJ :
Vozes, 2024. – (Coleção Vozes de Bolso)

   Título original: De vera religione.
   ISBN 978-85-326-6825-7

   1. Religião – Filosofia I. Título II. Série

24-210608   CDD-230

Índices para catálogo sistemático:

1. Agostinho : Santo : Teologia cristã   230

Tábata Alves da Silva – Bibliotecária – CRB-8/9253

Santo Agostinho

A verdadeira religião

Tradução de Frei Ary E. Pintarelli

Vozes de Bolso

Tradução do original em latim intitulado *De vera religione*

© desta tradução:
2024, Editora Vozes Ltda.
Rua Frei Luís, 100
25689-900 Petrópolis, RJ
www.vozes.com.br
Brasil

Todos os direitos reservados. Nenhuma parte desta obra poderá ser reproduzida ou transmitida por qualquer forma e/ou quaisquer meios (eletrônico ou mecânico, incluindo fotocópia e gravação) ou arquivada em qualquer sistema ou banco de dados sem permissão escrita da editora.

CONSELHO EDITORIAL	**PRODUÇÃO EDITORIAL**
Diretor	Aline L.R. de Barros
Volney J. Berkenbrock	Marcelo Telles
	Mirela de Oliveira
Editores	Otaviano M. Cunha
Aline dos Santos Carneiro	Rafael de Oliveira
Edrian Josué Pasini	Samuel Rezende
Marilac Loraine Oleniki	Vanessa Luz
Welder Lancieri Marchini	Verônica M. Guedes
Conselheiros	**Conselho de projetos editoriais**
Elói Dionísio Piva	Isabelle Theodora R.S. Martins
Francisco Morás	Luísa Ramos M. Lorenzi
Gilberto Gonçalves Garcia	Natália França
Ludovico Garmus	Priscilla A.F. Alves
Teobaldo Heidemann	

Secretário executivo
Leonardo A.R.T. dos Santos

Diagramação: Editora Vozes
Revisão gráfica: Bianca V. Guedes
Capa: Editora Vozes

ISBN 978-85-326-6825-7

Este livro foi composto e impresso pela Editora Vozes Ltda.

Sumário

Quanto à religião, os filósofos ensinavam uma coisa nas escolas e professavam outra nos templos. 11

O que Sócrates pensava sobre os deuses. Este mundo criado para Deus. 12

A verdadeira religião cristã que persuadiu os homens, o que Platão acreditou não ter podido persuadi-los. 13

Devem ser menosprezados os filósofos que aderem totalmente às coisas sensíveis. 18

Em que seitas está a verdadeira religião. O dom divino. O Espírito Santo. 20

A verdadeira religião está só na Igreja católica, que se serve de todos os que erram para seus fins. Por vezes, os bons são expulsos da Igreja pelos sediciosos. 22

Deve-se abraçar a religião da Igreja católica. 24

As coisas que, primeiramente, são conduzidas pela autoridade, depois as compreendemos pela razão. Os hereges aproveitam-se da Igreja. 26

O erro dos maniqueus sobre os dois princípios e as duas almas. 27

Devendo narrar a história da economia divina sobre a nossa salvação, mostra, primeiramente, onde aparece o erro na religião. 29

Toda a vida vem de Deus. Morte da alma, pela maldade. 31

Queda e redenção de todo o homem. 33

A diferença dos anjos. 36

Do livre-arbítrio vem o pecado. 37

Pela própria pena do pecado somos
ensinados a nos arrepender. 38

Pela encarnação do Verbo, cuidou-se com mais
benevolência do homem. 39

A teoria do ensinamento da verdadeira religião,
que é ótima, refere-se tanto ao Velho como ao
Novo Testamento. 42

Por que as criaturas são mutáveis? 44

São bens, mas não são bens supremos,
porque podem ser corrompidos. 46

De onde vem a corrupção da alma. 47

A alma é desviada quando segue as
fugazes belezas dos corpos. 51

A administração das coisas que passam é
desprezada unicamente pelos ímpios. 52

Toda a substância é boa. 54

Por um duplo caminho prevê-se à salvação
do homem: pela autoridade e pela razão –
primeiramente, trata-se do auxílio da
autoridade, até o capítulo 29. 55

A que homens ou livros deve-se crer
para o culto à autoridade de Deus. 56

Quanto à nossa salvação, a divina Providência
e as idades do velho e do novo homem. 59

A missão de ambos os homens na história
do gênero humano. 61

O que, a quem e com que meios
deve-se ensinar. 63

O segundo subsídio da salvação, isto é, como,
guiado pela razão, o homem é conduzido a Deus:
descobre-se ao realizar essas coisas
primeiramente pelos sentidos.................. 64

Todavia, a lei imutável é superior à razão,
isto é, a verdade segundo a qual julga............ 66

Deus é essa lei suprema, segundo a qual
a razão julga, mas que não é lícito julgar........ 70

É vestígio de unidade nos corpos, mas a própria
unidade não é percebida senão pela mente...... 73

Não são os corpos, nem os sentidos do corpo,
mas o juízo que mente. É diferente quem
mente e quem engana........................ 75

Como julgar as imagens formadas.............. 77

Deve-se estar livre para que se conheça a Deus. . . 79

A própria verdade é a palavra de Deus, porque
enche absolutamente aquilo por cujo princípio
é uno o que é uno. A falsidade não está nas
coisas, mas nos pecados...................... 80

A impiedade da múltipla idolatria nasceu
do amor pelas criaturas...................... 82

Outro tipo de idolatria, ao qual o pecador
serve com tríplice concupiscência.............. 84

Por seus próprios vícios, a alma é admoestada
a buscar a primeira beleza: primeiramente, é
mostrado o vício do prazer até o capítulo 43.... 87

A beleza dos corpos e o prazer da carne,
e o castigo dos que pecam.................... 89

A beleza no castigo da alma que peca.......... 93

O prazer da carne admoesta-nos a buscar a
harmonia indivisível. Ou eles estão em algum
movimento vital............................ 96

No homem, a força de julgar sobre a proporção
dos corpos e dos tempos. Na perpétua verdade
está a razão da ordem. 98

O Filho é a imagem de Deus, para a qual
algumas coisas foram feitas. 100

A fraqueza do prazer impele-nos para as
coisas mais sublimes. 101

Invencível é somente aquele que ama aquele
que não pode ser tirado daquele que ama,
isto é, Deus, de todo o coração e o
próximo como a si mesmo. 104

O verdadeiro amor ao próximo:
quem o assume é invencível. 107

O que é a perfeita justiça. 111

A seguir, a curiosidade, porque por
este vício somos admoestados a
contemplar a verdade. 112

A razão das Escrituras e das interpretações.
Quádrupla alegoria. 116

A perscrutação das Escrituras como
remédio da curiosidade. 118

E a curiosidade e outros vícios são ocasião
para a virtude. 119

Os objetivos dos estultos são diferentes dos
objetivos dos sábios. 120

Os suplícios dos condenados têm sua
causa nos seus vícios. 122

Epílogo: Exortando a seguir a verdadeira
religião e a afastar-se da falsa. 125

Livro Único

Quanto à religião, os filósofos ensinavam uma coisa nas escolas e professavam outra nos templos.

1. 1. Já que todo o caminho de uma vida boa e feliz consiste numa verdadeira religião, pela qual se cultua o único Deus e, com uma piedade muito pura, reconhece-se o princípio de todas as coisas naturais, pelo qual a universalidade das coisas começou, aperfeiçoou-se e se manteve; daí, manifesta-se com mais evidência o erro desses povos que preferiram cultuar muitos deuses e não o único Deus e Senhor de tudo e que seus sábios, chamados filósofos, embora pertencendo a escolas diferentes entre si, frequentavam templos comuns. De fato, nem aos povos, nem aos sacerdotes passava despercebido quanto fossem diferentes as suas posições sobre a natureza dos deuses, já que não temiam confessar publicamente sua opinião e, se pudessem, esforçavam-se por persuadir os outros; todavia, todos, com seus seguidores, divididos por opiniões diferentes e contrárias, sem que ninguém lhes proibisse nada, acorriam aos cultos comuns. Ora, não se trata de saber quem deles pensava com mais verdade; mas, ao que me parece, é muito claro que, em matéria de religião, com o povo, sustentavam uma posição e, em privado, com o povo que ouvia, defendiam outra.

O que Sócrates pensava sobre os deuses.
Este mundo criado para Deus.

2. 2. Todavia, Sócrates mostrou-se mais audaz do que os outros, jurando por um cachorro qualquer, por uma pedra qualquer ou por qualquer coisa que lhe aparecesse nas mãos no momento de jurar. Creio que compreendia que qualquer obra da natureza, que fosse produzida pelo governo da divina providência, é muito melhor do que as coisas feitas pelos homens e por qualquer artesão e, por isso, mais digna das honras divinas do que os objetos que são cultuados nos templos. Fazia isso, não porque, de fato, os sábios devessem cultuar a pedra e o cachorro, mas para que, desse modo, quem pudesse, compreenderia que os homens caíram em tamanha superstição de que era preciso mostrar a quem saía que o nível ao qual se chegara era tão torpe, e assim se dessem conta de que, se era vergonhoso chegar ali, muito mais vergonhoso era permanecer num nível ainda mais torpe. Ao mesmo tempo, aos que julgavam que este mundo visível é o sumo Deus, admoestava-os de sua torpeza, ensinando que, como consequência, seguiria a opinião pela qual era legítimo cultuar uma pedra qualquer, como também uma partícula dela. E se considerassem isso execrável, deviam mudar de opinião e procurar o único Deus que, como sabemos, é o único que está acima de nossas mentes e é aquele pelo qual foram criadas todas as almas e a totalidade deste mundo. Depois, escreveu também Platão, mas de modo mais agradável de se ler do que potente em persuadir. Mas estes não nasceram para converter a opinião dos seus povos ao verdadeiro culto do verdadeiro Deus, da superstição das imagens e da vaidade desse mundo. Por isso, o próprio Sócrates venerava as imagens com o povo e, depois de sua condenação e morte, ninguém ousou jurar pelo cachorro, nem chamar alguma pedra de Júpiter; dessas coisas, porém, contentavam-se apenas em guardar a lembrança nos seus escritos. Se isso aconteceu por temor ou por algum conhecimento dos tempos, não me cabe julgar.

A verdadeira religião cristã que persuadiu os homens, o que Platão acreditou não ter podido persuadi-los.

3. 3. Todavia, diria com a máxima confiança e com a paz de todos aqueles que obstinadamente amam os livros deles que, nos tempos cristãos, não há dúvida de qual seja a religião que se deve preferir e qual é o caminho para a verdade e a felicidade. De fato, se o próprio Platão fosse vivo e não desdenhasse as minhas perguntas, ou antes, se algum de seus discípulos o tivesse interrogado quando ainda estava em vida, ele o teria persuadido de que a verdade não se vê com os olhos do corpo, mas com a mente pura, e qualquer alma que a ela aderir torna-se feliz e perfeita: e, para adquiri-la, nada se opõe tanto quanto a vida dedicada às paixões e às falsas imagens das coisas sensíveis que, impressas em nós por este mundo sensível através do corpo, geram várias opiniões e erros; por isso, deve-se sanar o espírito, para que possa fixar o olhar na imutável forma das coisas e na beleza que se conserva sempre igual e em cada aspecto semelhante a si mesma, não dividida pelo espaço, nem transformada pelo tempo, unitária e idêntica em cada parte: uma beleza de cuja existência os homens não acreditam, apesar de existir realmente e em grau máximo. Além disso, tê-lo-ia persuadido que todas as outras coisas nascem, morrem, mudam e se esvaem; e, todavia, enquanto existem, subsistem criadas pelo eterno Deus mediante a sua verdade; e, entre essas coisas, somente à alma racional e intelectual foi concedido gozar da contemplação de sua eternidade, de ornar-se dela e de poder merecer a vida eterna; mas, enquanto a alma se deixar prender pelo amor e pela dor das coisas que nascem e passam e se dedicar aos costumes desta vida e aos sentidos do corpo, perde-se em imagens vazias e se ri de quem afirma existir algo que não se vê com estes olhos, nem pode ser pensando mediante imagens, mas que pode ser percebido somente pela mente e pela inteligência. Portanto, enquanto é persuadido dessas coisas pelo mestre, se aquele discípulo lhe perguntar se existe algum homem grande e divino que consiga convencer o povo, ao menos, a crer em tais coisas, se não conseguem compreendê-las, para que, se puderem compreender e não estiverem implicados nas torpes opiniões da multidão, não sejam oprimidos por erros vulgares; e se o julgar digno das honras divinas, creio que responderia que isso não pode ser obra de um homem, a não ser que a própria Força e Sabedoria de Deus o tivesse subtraído das leis da natureza e, sem passar pelo magistérios dos homens e, depois de ser instruído desde a infância por uma iluminação interior, o tenha ornado de tanta graça, dotado de tanta firmeza, enfim, elevado a tanta majestade, para que, desprezando tudo o que os maus homens desejam e suportando tudo o que horroriza e fazendo tudo o que é admirável, convertesse o gênero humano com sumo amor e autoridade a uma fé salutar. Quanto às suas honras, porém, seria vão consultar, já que facilmente se poderia julgar quantas honras seriam devidas à Sabedoria de Deus, pois, por sua ação e governo e pela salvação do gênero humano, ele mereceu algo tão grande para si, que ultrapassa as possibilidades humanas.

3. 4. Ora, se tudo isso aconteceu, e os livros e os monumentos celebram, que de uma única religião da terra na qual honrava-se o único Deus e somente nela teria podido nascer tal homem, foram enviados a cada parte da terra alguns homens eleitos, que despertaram o fogo do amor divino com suas virtudes e com sua pregação e, depois de consolidar aquele ensinamento realmente salvífico, deixaram aos pósteros as terras cheias de luz. E, para não falar de coisas passadas, às quais alguém poderia também não crer, hoje, entre as pessoas e os povos anuncia-se: *No princípio existia o Verbo e o Verbo estava com Deus e o Verbo era Deus: no princípio ele estava com Deus. Todas as coisas foram feitas por ele e sem ele nada foi feito* (Jo 1,1-3). E, para que isso seja compreendido, amado e gozado, de maneira que a alma seja sanada e o olho da mente se revigore para receber uma luz tão grande, aos avarentos diz: *Não acumuleis para vós tesouros na terra, onde a ferrugem e a traça os consomem e onde os ladrões perfuram e roubam... Porque onde está o teu tesouro, aí está também o teu coração* (Mt 6,19.21); aos luxuriosos diz-se: *Aquele que semeia na sua carne, da carne colherá a corrupção; mas o que semeia no Espírito, colherá do Espírito a vida eterna* (Gl 6,8); aos soberbos se diz: *Quem se exalta, será humilhado, e quem se humilha, será exaltado* (Lc 14,11; 18,14); aos irascíveis é dito: *Se alguém te ferir na face direita, apresenta-lhe também a outra* (Mt 5,39); aos litigiosos é dito: *Amai os* *vossos inimigos* (Mt 5,44; Lc 6,35); aos supersticiosos é dito: *O reino de Deus está no meio de vós* (Lc 17,21); aos curiosos se diz: *Não busqueis as coisas que se veem, mas as que não se veem, pois as coisas que se veem são temporais, mas as coisas que não se veem são eternas* (2Cor 4,18); por fim, diz-se a todos: *Não ameis o mundo nem as coisas do mundo; porque tudo o que há no mundo é concupiscência da carne, concupiscência dos olhos e soberba mundana* (1Jo 2,15-16).

3. 5. Se essas coisas já se leem aos povos em todo o mundo e mui prazerosamente são ouvidas com veneração. Se depois de tanto sangue, tantas fogueiras, tantas cruzes de mártires, as Igrejas surgiram com maior fertilidade e abundância até entre as nações bárbaras. Se já ninguém se admira que tantos milhares de jovens e virgens renunciam ao matrimônio e vivem castamente: coisa que Platão, quando fez isso, temeu até hoje a perversa opinião de seus tempos, que se diz terem sacrificado à natureza como para purificar-se de algum pecado. Se essas coisas são assim aceitas de modo que antes era monstruoso discutir a favor delas e agora é monstruoso discutir contra elas. Se a essa promessa e a esse compromisso são confiados os mistérios cristãos em todas as partes da terra que os homens habitam. Se essas coisas são lidas diariamente nas igrejas e são comentadas pelos sacerdotes. Se batem no peito os que se esforçam por cumpri-las; se são tão numerosos os que seguem esse caminho, que ilhas antigamente desertas e a solidão de muitas terras se enchem de homens de todo o gênero, que, abandonadas as riquezas e as honras desse mundo, querem dedicar toda a sua vida ao único e sumo Deus. Por fim, se nas cidades e vilas, nos castelos e bairros, nos campos e nas propriedades privadas é tão abertamente persuadida e desejada a aversão das coisas terrenas e a conversão ao único e verdadeiro Deus que, diariamente, por todo o mundo, o gênero humano responde quase a uma só voz que *tem os corações ao alto, voltados para o Senhor* (cf. Cân. da missa; Lm 3,41): por que ainda bocejamos pela bebedeira de ontem e procuramos os sinais divinos nos animais mortos? E por que, quando se chega à discussão, preferimos ter a boca que ressoa em nome de Platão, em vez de ter o peito cheio de verdade?

Devem ser menosprezados os filósofos que aderem totalmente às coisas sensíveis.

4. 6. Portanto, quem julga coisa inútil e má o desprezo desse mundo sensível e que se deve purificar a alma por meio da virtude, submetendo-a e subjugando-a ao sumo Deus, deve ser refutado com outros argumentos: todavia, se for digno discutir com eles. Porém, quem admite que é coisa boa e desejável, procure conhecer a Deus e se submeta a Deus, por meio do qual todos

os povos já se persuadiram de que essas verdades devem ser acreditadas. Certamente, também eles fariam isso se fossem capazes; ou, se não o fizessem, não poderiam evitar a acusação de serem invejosos. Portanto, cedam àquele pelo qual foi feito e a curiosidade e a vã presunção não impeçam que reconheçam a diferença que existe entre as tímidas conjeturas de poucos e a manifesta salvação e a regeneração dos povos. Pois, se tornassem à vida aqueles de cujos nomes eles se gloriam e encontrassem as igrejas repletas e os templos desertos, e o gênero humano que, não mais atraído pela cobiça dos bens temporais e caducos, corre para a esperança da vida eterna e para os bens espirituais e intelectuais, talvez dissessem (se fossem tais quais recorda-se que tenham sido): estas são as coisas das quais não ousamos persuadir os povos; antes, cedemos aos seus costumes, do que os conduzimos para a nossa fé e vontade.

4. 7. Assim, se aqueles homens pudessem levar novamente aquela vida conosco, certamente se dariam conta de qual é a autoridade que mais facilmente provê a humanidade e, mudadas poucas palavras e sentenças, se tornariam cristãos, como fizeram muitos platônicos dos tempos mais recentes e dos nossos tempos. E se não reconhecessem e não fizessem isso, perseverando na soberba e na inveja, não sei se poderiam dirigir-se para aquilo que disseram que se deveria amar e desejar, já que se reviravam nessas imundícies e visco. Pois não sei se tais homens se colocariam um obstáculo por um terceiro vício, isto é, pela curiosidade de consultar os demônios, e este é um vício demasiado pueril, mas é aquele que mais afasta os pagãos da salvação cristã, com os quais nos ocupamos agora.

Em que seitas está a verdadeira religião. O dom divino. O Espírito Santo.

5. 8. Mas seja qual for a presunção dos filósofos, a qualquer pessoa é fácil compreender que a religião não deve ser buscada entre aqueles que aceitam os mesmos cultos com o povo, e nas suas escolas, pelo testemunho da mesma multidão, proclamam doutrinas diferentes e até opostas sobre a natureza dos deuses e sobre o sumo bem. Por isso, se virmos que a disciplina cristã curou esse único grande vício, a ninguém seria oportuno negar que fosse pregada com inefável louvor. Pois as inúmeras heresias que se afastaram da regra da Cristandade são testemunhas de que não se admitem à comunhão dos sacramentos aqueles que sobre Deus Pai, sua Sabedoria e sobre o Dom divino pensam diferentemente do que exige a verdade e se esforçam por persuadir os homens. De fato, assim se crê e ensina, e esse é o princípio da salvação humana, que a filosofia, isto é, o amor

à sabedoria, é uma coisa e a religião é outra, já que aqueles dos quais não aprovamos a doutrina também não comungam conosco os sacramentos.

5. 9. O que neles menos deve ser admirado é que quiseram ser diferentes também no rito dos sacramentos, tais como não sei que hereges chamados serpentinos, como os maniqueus e alguns outros. Mas neles deve ser mais considerado e destacado que, celebrando iguais sacramentos, todavia, porque na doutrina são diferentes e defendem seus erros com mais animosidade do que preferiram corrigir com maior prudência, foram excluídos da comunhão católica e da participação dos próprios sacramentos que, embora fossem idênticos aos seus, receberam denominações próprias e assembleias próprias, não só na sua linguagem, mas também no culto: como os fotinianos e arianos e muitos outros. Ora, quanto aos que causaram cismas, o problema é outro. De fato, teriam podido permanecer como palhas na eira do Senhor até o tempo da última ventilação se, pela excessiva leveza, não tivessem cedido ao vento da soberba e, por própria iniciativa, não se tivessem separado de nós. Os judeus, porém, embora supliquem ao único onipotente Deus, todavia, porque dele só esperam bens temporais e visíveis, por excessiva presunção, não quiseram reconhecer nas suas próprias Escrituras os inícios de um novo povo que surgia pela humildade e, assim, permaneceram na condição do homem velho. Sendo assim, a verdadeira religião não deve ser buscada na confusão dos pagãos, nem nas purificações dos hereges, nem na fraqueza dos cismáticos, nem na cegueira dos judeus (cf. Is 6,9-10), mas somente entre os que se chamam cristãos católicos, ou ortodoxos, isto é, guardiães da integridade e que seguem o que é correto.

A verdadeira religião está só na Igreja católica, que se serve de todos os que erram para seus fins. Por vezes, os bons são expulsos da Igreja pelos sediciosos.

6. 10. Ora, esta Igreja católica, difundida sólida e amplamente por todo o mundo, serve-se de todos os que erram para seus fins e para a sua correção, se quiserem despertar. De fato, serve-se dos gentios, como terreno de sua operação, dos hereges como prova de sua doutrina, dos cismáticos como demonstração de sua estabilidade, dos judeus como comparação de sua excelência. Portanto, convida os primeiros e exclui os segundos, abandona os outros e ultrapassa os últimos: porém, dá a todos o poder de participar da graça de Deus, quer ainda estejam em formação, ou de se corrigir, quer se trate de recuperar ou de acolher. Quanto a seus membros carnais, isto é, que vivem e sentem segundo a carne, tolera-os como a palha protege o trigo na eira, até que seja libertada dessa proteção (cf. Mt 3,12). Mas, porque nessa eira alguém é palha ou trigo segundo a sua vontade, o pecado ou o erro de cada um é tolerado até que encontre um acusador ou defenda a sua perversa opinião com tenaz animosidade. Os excluídos, porém, voltam arrependidos ou afundam-se na maldade pelo mau uso do livre-arbítrio e admoestam nossa diligência; ou fomentam o cisma para exercitar a nossa paciência; ou geram alguma heresia para provar e estimular a nossa inteligência. Estes são o fim dos cristãos carnais que não puderam ser corrigidos ou ser tolerados.

6. 11. Muitas vezes, a divina Providência permite também que, por causa de revoltas demasiado turbulentas dos homens carnais, os homens bons sejam expulsos da comunidade cristã. Ora, se suportarem a injustiça e a injúria com muita paciência pela paz da Igreja, sem procurar despertar algumas novidades ou cismas e heresias, com isso ensinarão a todos com quanta autêntica disponibilidade e com quanta sincera caridade deve-se servir a Deus. Por isso, o propósito de tais homens é retornar uma vez acalmada a tempestade; ou, se isso não for possível, quer porque perdura a tempestade, quer por temor de que com seu retorno surja outra tempestade semelhante ou mais furiosa, abandonam a vontade de ajudar àqueles que, com seus fermentos e desordens, provocaram o afastamento, defendendo até a morte, sem recorrer a assembleias secretas e mediante seu testemunho, aquela fé que sabem ter sido proclamada pela Igreja católica. E o Pai, que vê em segredo, premia-os em segredo (cf. Sl 5,13; Mt 6,4). Este caso parece raro, mas não faltam exemplos, e até são mais frequentes do que se possa crer. Assim, a divina Providência serve-se de todos os tipos de homens e de exemplos para curar as almas e formar espiritualmente as pessoas.

Deve-se abraçar a religião da Igreja católica.

7. 12. Por isso, meu caríssimo Romaniano, já que há alguns anos prometi escrever-te o que penso da verdadeira religião, parece-me que chegou o tempo de fazê-lo, pois, dada a caridade que me liga a ti, não poderei consentir que tuas agudíssimas perguntas fiquem suspensas por mais tempo, sem um fim certo. Por isso, deixados de lado todos aqueles que não sabem ser filósofos em questões religiosas, nem religiosos em questões filosóficas; e àqueles que, por uma errada convicção ou por algum obstinado rancor, desviaram-se da regra e da comunhão da Igreja católica; e aos que não quiseram acolher a luz das santas Escrituras, nem a graça do povo espiritual que se chama Novo Testamento, para os quais acenei de maneira mais breve possível: devemos ater-nos à religião cristã e à comunhão de sua Igreja, que é católica e é chamada de universal, não só por seus

membros, mas também por todos os seus inimigos. De fato, quer queiramos ou não, os próprios hereges e os que apoiam os cismas, quando não falam entre si, mas com estranhos, chamam católica somente a Igreja católica. De fato, não podem ser compreendidos a não ser que a distingam pelo nome com o qual é designada por todo o mundo.

7. 13. O fundamento para seguir esta religião é a história e a profecia da manifestação temporal da divina Providência pela salvação do gênero humano para reformá-lo e repará-lo para a vida eterna. Crendo essas coisas, ter-se-á um estilo de vida conforme os preceitos divinos, pelo qual a mente será purificada e se tornará capaz de compreender as realidades espirituais, que não têm passado, nem futuro, mas, não estando sujeitas à mudança, permanecem sempre idênticas, isto é, ao único e próprio Deus Pai, Filho e Espírito Santo: mas, uma vez compreendida essa Trindade, quanto é consentido nesta vida, sem hesitação alguma compreende-se que cada criatura dotada de intelecto, de alma e de corpo, enquanto existe, tira o seu ser dessa Trindade criadora, pela qual tem sua forma e é regulada da maneira mais ordenada possível. Mas isso não deve ser entendido como se em toda a criação uma parte tivesse sido feita pelo Pai, outra pelo Filho e outra pelo Espírito Santo, mas no sentido que o Pai, mediante o Filho e no dom do Espírito Santo, criou simultaneamente todas as coisas e cada natureza. De fato, cada

coisa, substância, essência ou natureza, ou qualquer que seja a palavra pela qual melhor se designe, tem estas três propriedades ao mesmo tempo: é uma coisa una, distingue-se das outras coisas e tem seu lugar na ordem natural.

As coisas que, primeiramente, são conduzidas pela autoridade, depois as compreendemos pela razão. Os hereges aproveitam-se da Igreja.

8. 14. Com este conhecimento, aparecerá claro, quanto o homem pode alcançar, que cada coisa é sujeita a Deus, seu Senhor, segundo leis necessárias, invioláveis e justas: por isso, todas aquelas coisas que, primeiramente, acreditamos confiando unicamente na autoridade (cf. Is 7,9), em parte as compreendemos como evidentes, em parte como possíveis de se tornarem evidentes, e é oportuno que se tornem. Por isso, compadecemo-nos dos incrédulos que, em vez de crer conosco, preferem rir de nossa fé. Ora, uma vez conhecida a eternidade da Trindade e a mutabilidade das criaturas, de fato, aquela sacrossanta encarnação, o parto da Virgem, a morte do Filho de Deus por nós, sua ressurreição dos mortos, a ascensão ao céu, o sentar-se à direita do Pai, a remissão dos pecados, o dia do juízo e a ressurreição dos corpos não só se creem, mas são consideradas como expressão da misericórdia que o sumo Deus mostra em relação ao gênero humano.

8. 15. Mas porque com muita verdade foi dito: *É preciso que haja muitas heresias, para que os que são de virtude provada sejam manifestos entre vós* (1Cor 11,9), sirvamo-nos também deste benefício da divina Providência. De fato, os hereges surgem entre os homens que, embora estejam na Igreja, errariam igualmente. Porém se estão fora, são de muito proveito, não ensinando a verdade que não conhecem, mas porque levam os católicos carnais a procurá-la e os católicos espirituais a manifestá-la. Contudo, existem na santa Igreja inúmeros homens provados por Deus, mas não se manifestam entre nós sempre que, encontrando prazer nas trevas de nossa ignorância, preferem dormir e não contemplar a luz da verdade (cf. Jo 3,19-21). E, todavia, são muitos os que são acordados do sono pelos hereges, para que vejam o dia do Senhor e se alegrem (cf. Jo 8,56). Portanto, sirvamo-nos também dos hereges, não para aprovarmos os seus erros, mas para sermos mais vigilantes e mais cautelosos na defesa da doutrina católica contra as suas insídias, embora não possamos trazê-los de volta à salvação.

O erro dos maniqueus sobre os dois princípios e as duas almas.

9. 16. Mas creio na presença de Deus, para que este escrito possa ser útil aos bons leitores que já estão em espírito de piedade não só contra uma, mas contra todas as opiniões perversas e falsas. Todavia, ele se dirige, sobretudo, contra aqueles que julgam existir duas naturezas ou substâncias em luta entre si, cada uma com seu princípio. Contrariados com algumas coisas e satisfeitos com outras, eles pretendem que Deus é autor não das coisas que os contrariam, mas daquelas que os satisfazem. E como não conseguem vencer os seus costumes, presos já nos laços da carne, julgam que num único corpo existem duas almas: uma que provém de Deus e que por natureza é idêntica a Ele, a outra que deriva dos habitantes das trevas, que Deus não gerou, nem criou, nem a fez crescer, nem abandonou, mas teria tido uma vida própria, uma terra própria, os próprios filhos e animais, enfim, seu próprio reino e seu próprio princípio inato. Contudo, num certo momento, rebelou-se contra Deus, que, não tendo outra coisa a fazer e não encontrando outro meio de se opor ao inimigo, constrangido pela necessidade, teria enviado para cá uma alma boa e uma partícula de sua substância, de cuja união e mistura sonham que teria sido aplacado o inimigo e construído o mundo.

9. 17. Por ora, não refutamos as opiniões deles: o que já fizemos em parte e em parte o faremos quando Deus o permitir. Nesta obra, quero demonstrar, quanto for capaz e com os argumentos que o Senhor se dignar me conceder, que a fé católica está protegida deles e que não perturbam o nosso espírito os motivos pelos quais os homens aderem a tal doutrina. Primeiramente, com ternura, quero que tu, que bem conheces o meu espírito, saibas, não para fugir da acusação de presunção é que o digo de modo quase solene, que deve ser imputado a mim somente o que nesse escrito estiver errado, mas o que for verdadeiro e apresentado de modo conveniente, deve ser atribuído a Deus, único dispensador de todo o bem.

Devendo narrar a história da economia divina sobre a nossa salvação, mostra, primeiramente, onde aparece o erro na religião.

10. 18. Por isso, seja para ti bem claro e conhecido que não pode existir erro algum em religião se a alma não cultuasse como seu Deus uma alma, ou um corpo, ou suas imaginações, ou duas dessas coisas conjuntamente, ou, certamente, todas juntas: mas, nesta vida, conformando-se temporalmente, sem dolo, à sociedade do gênero humano, meditaria as realidades eternas e adoraria um único Deus, que, se não permanecesse imutável, tornaria impossível qualquer natureza mutável. Mas cada um sabe, por suas inclinações, que a alma pode mudar, não em relação ao lugar, mas a propósito do tempo. A cada um, então, é fácil dar-se conta de que o corpo é mutável,

tanto em relação ao tempo quanto ao lugar. As representações, porém, nada são senão imagens tiradas pela forma corpórea mediante os sentidos. Assim, é muito fácil recordá-las, já que as recebemos pelo pensamento, dividi-las, multiplicá-las, reuni-las, contrai-las, estendê-las, ordená-las, perturbá-las ou dar-lhe qualquer forma, mas, quando se busca a verdade, é difícil acautelar-se e evitar.

10. 19. Portanto, não sirvamos às criaturas em lugar do Criador, nem nos percamos em nossos pensamentos (cf. Rm 1,21-25), que nisto consiste a religião perfeita. De fato, aderindo ao Criador eterno, necessariamente, também nós seremos marcados pela eternidade. Mas porque a alma oprimida e envolvida em seus pecados, por si mesma não seria capaz de perceber e de alcançar essa meta, pois não encontraria nas realidades humanas nenhum ponto de apoio que lhe consentisse atingir as realidades divinas e, através dele, o homem pudesse elevar-se da vida terrena para a semelhança com Deus, por isso, a inefável misericórdia divina vem em sua ajuda, em parte a cada homem, em parte ao próprio gênero humano, segundo uma economia de ordem temporal, por meio das criaturas mutáveis, mas sujeitas às leis eternas, a fim de recordar-lhes sua primitiva e perfeita natureza. E esta ajuda, nos nossos tempos, é a religião cristã, cujo conhecimento e prática é a garantia mais segura e certa de salvação.

10. 20. Porém, existem muitas maneiras pelas quais se pode defender a religião contra os faladores e os que a buscam de verdade; é o próprio Deus onipotente que a revela por si mesmo e ajuda aqueles que têm boa vontade para intui-la e percebê-la por meio de anjos bons e de alguns homens. Compete, pois, a cada um servir-se do método que melhor se adapte àqueles com os quais deve tratar. Por isso, eu, depois de considerar longa e atentamente a questão para compreender quem fala por falar e quem busca a verdade, ou seja, como eu próprio fui, quer quando simplesmente tagarelava, quer quando a procurava verdadeiramente, julguei que seria melhor proceder deste modo: mantém firme aquilo que reconheceste ser verdade e atribui-o à Igreja católica; rejeita o que é falso e, já que sou um homem, perdoa-me; crê nas coisas duvidosas, até que a razão ensine ou a autoridade ordene que deve ser rejeitado, ou reconhecê-lo como verdadeiro ou que deve ser acreditado sempre. Enquanto puderes, então, presta atenção, de maneira diligente e piedosa, às coisas que seguem, pois Deus ajuda tais homens.

Toda a vida vem de Deus. Morte da alma, pela maldade.

11. 21. Não existe vida que não provenha de Deus, porque, na verdade, Deus é a suprema vida e a própria fonte da vida e nenhuma vida, enquanto vida, é um mal, mas o é enquanto tende para a morte: a morte da vida, porém, não é vida, senão maldade, que é chamada assim, precisamente, porque não é nada e é por isso que os homens mais iníquos são chamados homens de nada. Portanto, a vida tende para o nada se, por culpa voluntária, afasta-se daquele que a criou e de cuja essência gozava e querendo gozar contra a lei de Deus das realidades corpóreas às quais Deus a havia preposto. E isso é a maldade: não porque o corpo já é nada, pois o próprio corpo tem alguma concórdia em suas partes, sem a qual, simplesmente, não poderia existir. Portanto, também o corpo foi feito por Aquele que é o princípio de toda a concórdia. O corpo tem certa paz na sua forma, sem a qual, simplesmente, não seria nada; por isso, também o corpo foi criado por Aquele do qual provém toda a paz e que é a forma incriada e a mais bela de todas. O corpo tem uma certa beleza, sem a qual não seria corpo. Portanto, se alguém perguntar quem formou o corpo, procure-se aquele que é o mais belo de todos, pois dele deriva toda a beleza. Ora, quem é este, senão o único Deus, a única verdade, a única salvação de todos e a primeira e suma essência, da qual provém tudo o que existe, enquanto existe; porque, enquanto existe, seja o que for, é bom.

11. 22. E, por isso, a morte não vem de Deus. Porque Deus não fez a morte, nem *se alegra com a perdição dos vivos* (Sb 1,13), porque a suma essência faz existir tudo o que existe; por isso, chama-se essência. A morte, porém, obriga a não existir aquilo que morre, pois, se as coisas que morrem morressem completamente, sem dúvida, chegariam ao nada; mas morrem tanto quanto menos participam da essência: o que de maneira mais breve pode ser dito assim: tanto mais morrem quanto menos existem. Ora, o corpo é inferior a qualquer tipo de vida, porque, por menos que conserve a sua forma, conserva-a por força da vida, quer aquela que governa todo o ser animado, quer aquela que regula toda a natureza do mundo. Portanto, o corpo é mais sujeito à morte e, portanto, está mais próximo do nada; por isso, a vida que, alegrada pelo fruto do corpo, negligencia a Deus, tende para o nada e isso é maldade.

Queda e redenção de todo o homem.

12. 23. Desse modo, a vida torna-se carnal e terrena e, por isso, também se chama carne e terra (cf. 1Cor 15,50); e enquanto for assim, o homem não possuirá o reino de Deus e lhe será tirado aquilo que ama. Afinal, ele ama o que também é menos do que a vida, porque é corpo; e por causa do próprio pecado, o que é amado torna-se corruptível (cf. Rm 8,10), porque, desenvolvendo-se, abandona quem o ama, porque também ele, abandonando o corpo, abandonou a Deus. De fato, negligenciou os preceitos daquele que diz: *Come isso, e aquilo* *não* (Gn 2,16-17). Portanto, o homem é atraído para as penas, porque amando as coisas inferiores está ordenado para a pobreza de suas vontades e para as dores no inferno. Pois o que é a dor, aquela que se chama corpo, senão a corrupção repentina da salvação daquela coisa que a alma, por seu mau uso, tornou susceptível de corrupção? E o que é a dor, que se diz do espírito, senão a falta de coisas mutáveis, que se gozavam ou se espera poder gozar? E isso é tudo aquilo que se chama de mal, isto é, o pecado e as penas do pecado.

12. 24. Mas, se a alma, enquanto está neste estádio da vida humana (cf. 1Cor 9,24), vencer as cobiças que nutriu contra si mesma pelo uso das coisas mortais e, para vencê-las, crê ser ajudada pela graça de Deus, servindo-o com a mente e a boa vontade, sem dúvida será regenerada e pela multiplicidade das coisas mutáveis voltará ao único imutável, renovada pela Sabedoria não criada (cf. At 2,38), mas pela qual são criadas todas as coisas, e gozará de Deus pelo Espírito Santo, que é o Dom de Deus. Assim, forma-se o homem espiritual, que tudo julga sem ser julgado por ninguém (cf. 1Cor 2,15), amando o Senhor seu Deus com todo o coração, com toda a alma, com toda a mente e amando seu próximo não segundo a carne, mas como a si mesmo. Ama-se espiritualmente a si mesmo aquele que ama a Deus com tudo aquilo que nele vive. Desses dois preceitos depende toda a lei e os Profetas (cf. Mt 22,37-40).

12. 25. Em consequência disso, depois da morte corporal, que devemos pelo primeiro pecado, a seu tempo e na sua ordem, este corpo será restituído à sua primitiva estabilidade, que não terá por si mesmo, mas pela alma tornada estável em Deus. Tampouco, não é estabelecida por si mesma, mas por Deus, do qual goza; e por isso, será mais vigorosa do que o corpo, pois o corpo terá dela o seu vigor e ela a terá da verdade imutável, que é o Filho único de Deus; e assim, também o corpo terá vigor pelo próprio Filho de Deus, porque tudo existe por ele (cf. Jo 1,3). Também pelo Dom dele, que é dado à alma, isto é, pelo Espírito Santo, não só a alma, a quem é dado, obtém a salvação, a paz e a santidade, mas também o próprio corpo será vivificado e se tornará puríssimo em sua natureza (cf. Rm 8,11). Pois ele disse: *Purificai antes o que está dentro e o que está fora estará limpo* (Mt 23,26). Também o Apóstolo diz: *Vivificará também os vossos corpos mortais por meio do Espírito que habita em vós* (Rm 8,11). Portanto, tirado o pecado, será tirada também a pena do pecado: e, então, onde está o mal? *Onde está, ó morte, a tua vitória? Onde está, ó morte, o teu aguilhão?* (1Cor 15,55). De fato, a essência venceu o nada e, assim, a morte será absorvida na vitória (cf. 1Cor 15,54).

A diferença dos anjos.

13. 26. Nem o anjo mau, que é chamado demônio (cf. Ap 12,9), pode opor alguma coisa aos que foram santificados; porque também ele, enquanto, anjo não é mau, mas enquanto se perverteu por própria vontade. De fato, deve-se confessar que também os anjos são mutáveis por natureza, pois só Deus é imutável. Todavia, por aquela vontade pela qual amam mais a Deus do que a si mesmos, permanecem firmes e estáveis nele e gozam de sua majestade, sujeitos somente a ele de maneira agradabilíssima. Mas o anjo que, amando mais a si mesmo do que a Deus, não quis submeter-se a ele, inchou-se de soberba, separou-se da suprema essência e caiu: por isso, é menos do que foi, porque quis gozar daquilo que era menos quando quis gozar do seu próprio poder, em vez de gozar do poder de Deus. De fato, embora não fosse o supremo, todavia, era mais quando gozava daquele que é o supremo, porque só Deus é o supremo. Ora, o que é menos do que era, não enquanto existe, mas enquanto é menos, é mau. Pois aquele que é menos do que era tende para a morte. Mas o que se há de admirar se pela falta vem a privação e da privação, a inveja, pela qual o demônio é realmente demônio?

Do livre-arbítrio vem o pecado.

14. 27. Mas se esta falta que se chama pecado se apoderasse do homem contra a sua vontade como a febre, certamente pareceria injusta a sua pena, que segue aquele que peca e que se chama condenação. O pecado, porém, é a tal ponto um mal voluntário que, de modo algum, seria um pecado se não fosse voluntário; e isso, na verdade, é tão evidente que encontra consenso quer dos poucos doutos, quer da multidão dos indoutos. Por isso, ou se deve negar que se comete pecado ou é preciso confessar que se comente com a vontade. Pois não se nega corretamente que a alma tenha pecado quando se reconhece que se corrige pela penitência, que é perdoada quando se arrepende e que é justamente condenada pela lei de Deus se persevera no pecado. Enfim, se não fizermos o mal voluntariamente, simplesmente ninguém deve ser censurado, nem admoestado; mas, se se tira tudo isso, é necessário que se tire a lei cristã e toda a disciplina da religião. Portanto, peca-se com a vontade e porque não há dúvida de que se peca, não vejo como se possa duvidar que as almas possuem o livre-arbítrio da vontade. Realmente, Deus considerou melhores aqueles seus servos que o serviram livremente, o que de modo algum poderia ter acontecido se eles não o tivessem servido voluntariamente, mas por necessidade.

14. 28. Portanto, os anjos servem a Deus livremente, e isso não para proveito de Deus, mas deles próprios. Afinal, Deus não precisa do bem do outro, porque depende de si mesmo. A mesma coisa vale também para quem foi gerado por ele, porque não foi criado, mas gerado. Os seres criados, porém, necessitam do bem de Deus, isto é, do sumo bem, que é a suprema essência. E já que pelo pecado da alma tendem para ele em medida menor, são menos do que eram: todavia, não se separam totalmente, caso contrário, cessariam definitivamente de existir. Mas o que acontece às almas pelas afeições acontece ao corpo pelos lugares: pois aquele move-se pela vontade, o corpo, porém, pelo espaço. Contudo, quando se diz que o homem foi persuadido por um anjo perverso, deve-se acrescentar que consentiu com a vontade, pois se o tivesse feito por necessidade não seria culpado de nenhum pecado.

Pela própria pena do pecado somos ensinados a nos arrepender.

15. 29. Quanto ao corpo do homem, que, no seu gênero, era ótimo antes do pecado, depois do pecado tornou-se fraco e destinado à morte, embora seja justa a vingança do pecado, mas mostra mais a clemência do Senhor do que sua severidade. Assim, então, convencemo-nos de que devemos abandonar os prazeres do corpo e é oportuno convertermos o nosso amor para a eterna essência da verdade. E é a beleza da justiça, em harmonia com a graça da benignidade, que, porque fomos enganados pela doçura dos bens inferiores, sejamos ensinados pela amargura das penas. Pois assim também a divina Providência moderou os nossos suplícios de modo que, mesmo com este corpo sujeito à corrupção, nos é consentido tender para a justiça e, deposta toda a soberba, sujeitar-nos ao único Deus verdadeiro, sem nada confiar a si mesmo, mas entregando-nos unicamente a ele para que nos governe e nos proteja. Assim, sob sua guia, o homem de boa vontade transforma as moléstias desta vida em instrumento de fortaleza: na abundância dos prazeres e no feliz êxito de nossos sucessos temporais põe à prova e consolida a sua temperança; nas tentações aperfeiçoa a prudência, não só para não ceder a elas, mas também para tornar-se mais vigilante e mais ardente no amor pela verdade, que é a única que não engana.

Pela encarnação do Verbo, cuidou-se com mais benevolência do homem.

16. 30. Mas, já que Deus cuida das almas de todos os modos segundo as oportunidades dos tempos que sua maravilhosa sabedoria predispôs, delas não devemos tratar, ou deve ser tratado somente entre homens piedosos e perfeitos; todavia, de modo algum cuidou-se com mais benevolência do gênero humano do que com a própria Sabedoria de Deus, isto é, quando o único Filho consubstancial e coeterno ao Pai dignou-se assumir o homem todo, *e o Verbo se fez carne e habitou entre nós* (Jo 1,14). De fato, mostrou assim aos homens carnais e que não queriam intuir a verdade pela mente, porque eram escravos dos sentidos corporais, quão elevado é o lugar que tem, entre as criaturas, a natureza humana, já que, na verdade, apareceu aos homens não só de forma visível (coisa que teria podido fazer também com um corpo etéreo adaptado ao grau de tolerância de nossa vista), mas também como verdadeiro homem: afinal, devia assumir a mesma natureza que devia libertar. E para que nenhum dos dois sexos julgasse ter sido desprezado por seu Criador, assumiu o aspecto de homem e nasceu de uma mulher.

16. 31. Nada fez por força, mas tudo persuadindo e admoestando. De fato, terminado o tempo da antiga servidão, brilhou o tempo da liberdade e, por isso, era oportuno e útil que para persuadir o homem fosse criado o livre-arbítrio. Com os milagres uniu a fé no Deus que era; com a paixão, a fé no homem que assumia. Assim, falando às multidões como Deus, negou a mãe que lhe era anunciada (cf. Mt 12,48): e, todavia, como diz o Evangelho, *o menino era submisso aos* *pais* (Lc 2,51). Com efeito, pela doutrina aparecia Deus, pela idade, o homem. Igualmente, ao transformar a água em vinho, como Deus diz: *Mulher, que nos importa isso a mim e a ti? Ainda não chegou a minha hora* (Jo 2,4). Mas quando chegou a hora, na qual morreria como homem, da cruz reconheceu a mãe e a recomendou ao discípulo que ele amava mais do que os outros (cf. Jo 19,26-27). Satélites das vontades, os povos desejavam perigosamente as riquezas: ele quis ser pobre (cf. 2Cor 8,9). Eram ávidos de honras e poderes: ele não quis tornar-se rei (cf. Jo 18,36-37). Consideravam um grande bem ter filhos carnais: ele desprezou tal união e a prole. Com a máxima soberba, tinham horror aos ultrages: ele suportou todo o tipo de ultrage. Julgavam intoleráveis as injúrias: existe maior injúria do que um justo ser condenado, apesar de inocente? Execravam as dores do corpo: foi flagelado e crucificado (cf. Mt 27,26). Temiam morrer: foi condenado à morte. Julgavam o tipo de morte na cruz a maior ignomínia: foi crucificado. Todas as coisas que desejávamos possuir e nos faziam viver de modo desordenado: privando-se delas, tirou-lhes o valor. Todas as coisas que desejávamos evitar e as desviávamos do esforço da verdade, suportou-as pacientemente. Pois nenhum pecado pode ser cometido a não ser enquanto se deseja o que ele desprezou ou se foge daquilo que ele sustentou.

16. 32. Por isso, toda a sua vida na terra, que ele se dignou assumir como homem, foi um ensinamento moral. Sua ressurreição dos mortos, porém, mostrou suficientemente que nada se perde da natureza do homem, já que todas as coisas são salvas por Deus e, como todas servem a seu Criador, quer para a punição dos pecados, quer para a libertação do homem, é fácil que o corpo sirva à alma, já que ela se sujeita a Deus. Em virtude disso, não só nenhuma substância é má, o que nunca pode acontecer, mas também não é atingida por nenhum mal, que pôde acontecer pelo pecado e pela punição. E este é o ensinamento natural, que é digno de toda a fé para os cristãos menos inteligentes, para os inteligentes, porém, purificado de todo o erro.

A teoria do ensinamento da verdadeira religião, que é ótima, refere-se tanto ao Velho como ao Novo Testamento.

17. 33. De fato, o próprio método de todo o ensino, em parte muito direto, em parte por semelhanças de palavras, de fatos e de ritos, adaptado a toda a instrução e exercício da alma, o que mais completou senão a regra de um ensino racional? Pois também a exposição dos mistérios se dirige às coisas que são ditas de modo absolutamente claro. E se fossem só as coisas que se compreendem com muita facilidade, a verdade não seria procurada nem com esforço, nem com prazer (cf. Mt 7,7). E se nas Escrituras não existissem ritos e nos ritos não existissem sinais da verdade, a ação não se harmonizaria satisfatoriamente com o conhecimento. Agora, porém, porque a piedade tem início pelo temor e se completa pela caridade (cf. Sl 2,11), por isso, no tempo da escravidão, na antiga Lei, o povo, oprimido pelo temor, era onerado com muitos ritos. De fato, isso era útil a eles para que desejassem a graça de Deus, que os Profetas anunciavam que havia de vir. E quando ela veio, tendo a própria sabedoria de Deus assumido a humanidade e nos chamado à liberdade (cf. Gl 5,13), foram instituídos poucos ritos de total salvação, que mantiveram unida a comunidade do povo cristão, ou seja, a multidão livre sob um único Deus. Na verdade, muitas coisas que haviam sido impostas ao povo hebreu, isto é, à multidão escrava sob o único Deus, foram abolidas na prática e só ficaram sujeitas à fé e à interpretação. Assim, agora já não nos ligam servilmente, mas exercitam o espírito mediante a liberdade.

17. 34. Mas quem negar que ambos os Testamentos não podem vir de um único Deus, porque o nosso povo não é obrigado aos mesmos ritos aos quais os judeus eram e ainda são obrigados, pode dizer que um pai de família, sumamente justo, não pode ordenar uma coisa àqueles para os quais julga útil uma sujeição mais dura e outra coisa àqueles que se digna adotar como filhos. Mas, se os preceitos da vida causam preocupação, porque na antiga Lei são menores e no Evangelho são maiores, e, assim, julga que não podem referir-se ambos a um único Deus; quem julgar isso pode ficar perturbado se um mesmo médico, mediante seus assistentes, prescreve alguns remédios aos mais débeis, e outros, pessoalmente, aos mais fortes, para consentir-lhes recuperar ou manter a saúde. Pois como a arte médica, embora permaneça a mesma e, de modo algum, possa mudar, mudam, todavia, as prescrições aos doentes, porque a nossa saúde está sujeita a mudanças: assim, a divina Providência, embora seja absolutamente imutável, vem em socorro das criaturas mutáveis com procedimentos variados e, conforme a diversidade das doenças, prescreve ou veta uma coisa a um e outra coisa a outro, para que, do mal onde a morte começa, e da própria morte, possa reconduzir e firmar em sua natureza e essência àquelas que decaem, isto é, que tendem para o nada.

Por que as criaturas são mutáveis?

18. 35. Mas poderias perguntar-me: Por que as criaturas desfalecem? – Porque são mutáveis. E por que são mutáveis? – Porque não existem em sentido absoluto. E por que não existem em sentido absoluto? – Porque são inferiores àquele que as criou. Quem as criou? – Aquele que é o supremo ser. Quem é este? – Deus, a imutável Trindade, porque também as criou mediante a suprema Sabedoria e as conserva mediante a suprema bondade. Por que as criou? – Para existirem. Pois o ser, qualquer que seja, é um bem; porque o sumo bem é o sumo ser. De que as fez? – Do nada. Porque o que existe, por menor que seja, deve ter sua essência; por isso, embora seja o mínimo bem, será sempre um bem e provirá de Deus. Porque já que a suma essência é o sumo bem, a essência mínima é o bem mínimo. Ora, todo o bem ou é Deus ou provém de Deus. Portanto, também a mínima essência provém de Deus. Na verdade, o que se diz da essência pode ser dito também da forma. E não é por acaso que no louvor usa-se tanto o termo *especiosíssimo* (quem tem a essência em sumo grau) como o termo *formosíssimo* (que tem a forma em sumo grau). E por isso, aquilo do qual Deus criou todas as coisas é aquilo que não tem essência nem forma, o que nada mais é senão o nada. Pois aquilo que em relação às realidades perfeitas é dito informe, se tem alguma forma, embora pequena e embrional, ainda não é o nada; por isso, também ele, enquanto existe, não provém senão de Deus.

18. 36. Por isso, se o mundo foi criado de alguma matéria informe, essa matéria foi criada inteiramente do nada. Pois aquilo que ainda não tem uma forma, todavia, de algum modo está predisposto a poder ser formado, por bondade de Deus pode assumir uma forma, porque é coisa boa ter uma forma. Portanto, também a capacidade de ter uma forma é um bem: e assim, o autor de todos os bens, que deu a forma, deu também a possibilidade de ter uma forma. Assim, tudo o que existe, enquanto existe, e tudo aquilo que ainda não existe, enquanto pode existir, depende de Deus. Isso pode ser dito de outra forma: tudo aquilo que tem uma forma, enquanto tem uma forma, e tudo aquilo que não tem ainda uma forma, enquanto pode ter uma forma, depende de Deus. Mas nenhuma coisa chega à integridade de sua natureza se não for salva no seu gênero. Ora, toda a salvação vem daquele pelo qual vem todo o bem; ora, todo o bem vem de Deus; portanto, toda a salvação vem de Deus.

São bens, mas não são bens supremos, porque podem ser corrompidos.

19. 37. Do que se disse, quem tem os olhos da mente abertos, não ofuscados ou perturbados pelo pernicioso afã de uma vitória vã, facilmente compreende que são bens todas as coisas que se corrompem e morrem, embora, de *per si*, o próprio vício e a morte sejam um mal. De fato,

se as coisas não fossem privadas de alguma integridade, o vício e a morte não as prejudicariam. Mas se o vício não prejudicar, de modo algum seria vício. Portanto, se o vício se opõe à salvação e não há dúvida de que a salvação é um bem, então todas as coisas são bens aos quais o vício se opõe; mas tudo aquilo a que o vício se opõe também se corrompe. Portanto, são bens as coisas que se corrompem, mas se corrompem porque não são bens supremos. Por isso, porque são bens, provêm de Deus; e porque não são bens supremos, não são Deus. Portanto, o bem que não pode ser corrompido é Deus. Todas as outras coisas provêm dele e podem ser corrompidas por si mesmas, porque por si mesmas nada são: por ele, porém, em parte não se corrompem, em parte são curadas se forem corrompidas.

De onde vem a corrupção da alma.

20. 38. Ora, o primeiro vício da alma racional é a vontade de fazer as coisas que a suma e íntima verdade proíbe. Assim, o homem foi expulso do paraíso para este mundo, isto é, das coisas eternas para as temporais, da abundância para a necessidade, da estabilidade para a instabilidade; portanto, não do bem substancial para o mal substancial, porque nenhuma substância é um mal; mas do bem eterno para o bem temporal, do bem espiritual para o bem carnal, do bem inteligível para o bem sensível, do sumo bem para o bem ínfimo. Por isso, existe um certo bem que, se a alma racional o amar, peca, porque foi ordenado abaixo dela: por isso, o próprio pecado é um mal, e não a substância que, pecando, se ama (cf. Gn 2,17). Portanto, o mal não é aquela árvore que, como está escrito, estava planada no meio do paraíso (cf. Gn 3,3); mas a transgressão do preceito divino. E quando, como consequência, sofre a justa condenação, aconteceu que daquela árvore, que fora tocada apesar da proibição, brotou o discernimento do bem e do mal: porque envolvendo-se a alma em seu pecado, mediante a expiação das penas, aprendeu a diferença que existe entre o preceito que não quis observar e o pecado que cometeu; e desse modo, aprendeu, por experiência, o mal que não aprendeu se precavendo e o bem que, obedecendo amava menos, comparando amou-o com mais ardor.

20. 39. Portanto, o vício da alma é aquilo que fez, e a dificuldade do vício, a pena que sofreu; e nisto consiste todo o mal. Mas fazer e sofrer não são uma substância: por isso, a substância não é um mal. De fato, assim, nem a água é um mal, nem o animal que vive no ar; pois estas são substâncias; mas o mal é a voluntária precipitação na água e a sufocação que sofre quem é imerso. O estilete de ferro, com um lado para escrever e o outro para apagar, foi feito com maestria e, no seu gênero, é bonito e adaptado ao nosso uso. Mas se alguém quisesse escrever com a parte com a qual se apaga e apagar com a parte com a qual se escreve, de modo algum faria um mal com o estilete, já que o próprio fato seria, por direito, censurado: e se for corrigido, onde está o mal? Se, de repente, alguém fixar o sol do meio-dia, atingidos os olhos se perturbariam: será que por isso o sol ou os olhos serão um mal? De modo algum, pois são substâncias: o mal está no olhar desordenado e na perturbação que daí se segue; e isso não será um mal quando os olhos repousarem e olharem para uma luz adequada. E não se torna em si um mal a luz que é feita para os olhos quando é cultuada em lugar da luz da sabedoria, que é feita para a mente: mas a superstição é um mal da qual se serve a criatura em lugar do Criador (cf. Rm 1,25). Este mal, simplesmente, não existirá quando a alma, tendo reconhecido o Criador, se submeter unicamente a ele e tiver claramente percebido que todas as outras coisas lhe estão sujeitas.

20. 40. Assim, toda a criatura corporal, se for possuída somente por uma alma que ama a Deus, é um bem ínfimo e belo no seu gênero, porque é constituída por uma forma e uma beleza: mas, se é amada por uma alma que negligencia a Deus, nem assim ela se torna um mal, já que o mal é o pecado pelo qual é assim amada que se torna causa da pena para aquele que a ama:

lança-o nas tribulações e enganando-o, nutre-o com os prazeres falazes, porque não permanecem nem saciam, mas são fonte de agudos tormentos. Porque quando a bela mutabilidade dos tempos conclui sua ordem, a beleza cobiçada abandona aquele que a ama e pelo suplício que sente tortura seus sentidos e a agita pelos erros; e para julgar que essa é a primeira beleza, que é a mais ínfima de todas, isto é, da natureza corpórea, que a carne com perverso prazer lhe fez conhecer através de enganosos sentidos e, por isso, quando pensa alguma coisa, crê compreender, mas é iludida pelas sombras das fantasias. Mas se alguma vez, sem respeitar integralmente a ordem da divina Providência, mas julgando observá-la, esforça-se por resistir à carne, chega às imagens das coisas visíveis e, com a luz que vê circunscrita dentro de certos limites, com o pensamento constrói em vão espaços imensos. E julga que essa é sua futura morada, não sabendo que é arrastada pela concupiscência dos olhos, já que com este mundo quer ir além do mundo. Por isso, não percebe que se trata do mesmo mundo, já que com seu enganoso modo de pensar estendeu ao infinito a parte mais luminosa. Pode fazer tudo isso com a máxima facilidade não só para essa luz, mas também para a água, o vinho, o mel, o ouro, a prata e ainda com a carne, ou o sangue, os ossos de qualquer animal e outras coisas do gênero. Pois nada do corpo existe que, depois de uma visão, não possa ser multiplicado ao infinito com o pensamento; ou que, visto num pequeno espaço, não possa ser estendido ao infinito pela mesma capacidade de imaginação (cf. Rm 8,5). Mas se é facílimo execrar a carne, é muito difícil não julgar segundo a carne.

A alma é desviada quando segue as fugazes belezas dos corpos.

21. 41. Portanto, por essa perversidade da alma, toda a natureza corpórea torna-se como diz Salomão: *Vaidade dos que buscam a vaidade, e tudo é vaidade. Que proveito tira o homem de todo o trabalho com que se afadiga debaixo do sol*? (Ecl 1,2-3). De fato, não foi acrescentado em vão *aos que buscam a vaidade*, porque se tiras os que fazem vaidades, esses que seguem as coisas mais baixas como se fossem as mais altas, o corpo não será vaidade, mas, no seu gênero, mostrará uma beleza sem defeito algum, embora mínima. Com efeito, a multiplicidade das belezas temporais dilacerou, através dos sentidos carnais, o homem que se separou da unidade com Deus e, com sua instável variedade, multiplicou seus desejos: e daí brotou a laboriosa abundância e, se assim se pode dizer, uma copiosa pobreza, pela qual ele persegue ora uma coisa, ora outra, sem que nada reste para ele. Assim, depois do tempo, do trigo, do vinho e do azeite ele se dispersou e já não encontra a si mesmo (cf. Sl 4,8-9), isto é, a natureza imutável e única que se a seguisse não erraria e alcançando-a não sofreria. Consequentemente, terá também a redenção de seu corpo (cf. Rm 8,23) e já não se corromperá. Agora, porém, um corpo que se corrompe pesa sobre a alma e a morada terrena oprime a mente que pensa em muitas coisas (cf. Sb 9,15), porque a beleza dos corpos, embora mínima, é envolvida na ordem da sucessão temporal. Ela é em grau mínimo, porque não pode ter tudo ao mesmo tempo; mas algumas cedem e outras tomam seu lugar e todas contribuem para compor numa única beleza a harmonia das formas temporais.

A administração das coisas que passam é desprezada unicamente pelos ímpios.

22. 42. E tudo isso não é um mal porque passa. De fato, também o verso, no seu gênero, é belo, embora, de modo algum, seja possível pronunciar duas sílabas ao mesmo tempo. E não se pronuncia a segunda se a primeira não tiver passado; e assim, pela ordem, chega-se ao fim, para que, quando soar só a última sílaba, sem que as precedentes soem com ela, em união com as passadas perfaz-se uma forma e uma beleza métrica.

Todavia, a própria arte pela qual se fabrica o verso não é tão sujeita ao tempo que sua beleza resulte só pela medida das pausas; ela tem todos os elementos pelos quais é feito o verso; não os tem todos juntos, mas os une aos consequentes. O verso, porém, é belo precisamente porque mostra os últimos traços da beleza que a arte guarda em si mesma de modo constante e imutável.

22. 43. Por isso, como alguns de gosto pervertido amam mais o verso do que a própria arte pela qual o verso é feito, porque confiaram mais nos ouvidos do que na inteligência: assim, muitos preferem as coisas temporais e não buscam a divina Providência que criou e governa os tempos; e no próprio amor pelas coisas temporais não querem passar aquilo que amam e são tão absurdos que na recitação de alguma magnífica poesia querem ouvir sempre e somente uma única sílaba. Certamente, não existem tais ouvintes de poesias; mas o mundo está cheio daqueles que julgam assim as coisas, e isso porque facilmente todos podem ouvir não só um verso, mas também toda a poesia, embora nenhum homem possa sentir a ordem dos séculos. Acrescente-se a isso que não somos partes da poesia, mas, por causa da condenação, fomos feitos partes dos séculos. Portanto, a poesia é cantada sob o nosso juízo; os séculos, porém, seguem graças ao nosso labor. Contudo, a nenhum vencido agradam os jogos públicos; todavia, apesar de sua vergonha, são belos e nisso existe uma certa imitação da verdade. E não só por isso, tais espetáculos foram proibidos, senão porque enganados pelas sombras das coisas, afastamo-nos das próprias coisas das quais os espetáculos são sombras. Assim, a condição e a administração do universo desagradam só às almas ímpias e condenadas, mas agradam, embora com sua miséria, às muitas almas vitoriosas na terra, ou já seguras na contemplação do céu: afinal, nada do que é justo desagrada ao justo.

Toda a substância é boa.

23. 44. Por conseguinte, já que toda a alma racional ou é infeliz por seus pecados, ou é feliz pelas boas obras, então toda a alma irracional ou cede ao mais forte, ou obedece ao melhor, ou se confronta com o igual, ou exercita aquele que luta, ou causa prejuízo ao condenado e todo o corpo serve à sua alma, enquanto lhe permitam os seus méritos e a ordem das coisas: nenhum mal é fruto de sua própria culpa. Mas quando a alma é regenerada pela graça de Deus e restituída à sua integridade e submissa unicamente àquele que a recriou e com o corpo restabelecido à sua primitiva estabilidade, não será possuída pelo mundo, mas começará a possuir o mundo e não lhe acontecerá nenhum mal: porque esta mínima beleza das vicissitudes temporais que caminhava com ela, caminhará sob ela e será como está escrito: *Um novo céu e uma nova terra* (Ap 21,1), e as almas, em vez de em parte

penar, reinarão sobre todo o universo. Diz o Apóstolo: *Tudo é vosso, vós, porém, sois de Cristo e Cristo é de Deus* (1Cor 3,22-23); e: *A cabeça da mulher é o homem, a cabeça do homem é Cristo e Deus é a cabeça de Cristo* (1Cor 11,3). Por isso, porque o vício não pertence à natureza da alma, mas é contra a sua natureza, nada mais é senão o pecado e a pena do pecado; daí compreende-se que nenhuma natureza, ou, se assim for dito melhor, nenhuma substância ou essência é um mal. Nem depende dos pecados e das penas de sua alma que se manche o universo pela deformidade. Porque a substância racional, que está limpa de todo o pecado, é submissa a Deus e domina todas as outras coisas a ela sujeitas; mas aquela que pecou é colocada no lugar que convém à sua condição, para que tudo seja belo sob o Deus criador e reitor do universo. E a beleza de toda a criação não é culpada dessas três coisas: da condenação dos pecadores, da provação dos justos e da perfeição dos bem-aventurados.

Por um duplo caminho prevê-se à salvação do homem: pela autoridade e pela razão – primeiramente, trata-se do auxílio da autoridade, até o capítulo 29.

24. 45. Por isso, também a própria medicina oferecida à alma pela divina Providência com inefável bondade é belíssima em seus graus e ordem. Com efeito, divide-se em autoridade e razão. A autoridade exige a fé e prepara o homem para a razão. A razão conduz ao intelecto e ao conhecimento. Embora a razão jamais abandone totalmente a autoridade quando se considera em quem se deva crer, certamente é suma a autoridade de uma verdade já conhecida e de modo evidente. Mas porque caímos nas coisas temporais e pelo amor delas somos impedidos de chegar às eternas, primeiramente vem, não pela excelência de sua natureza, mas pela ordem do tempo, uma certa medicina temporal que chama à salvação não aqueles que sabem, mas aqueles que creem. Afinal, no lugar em que alguém cai ali deve apoiar-se para se levantar. Portanto, devemos apoiar-nos nas próprias formas carnais nas quais estamos presos para conhecer aquelas que a carne não mostra. Ora, chamo de carnais as coisas que não podemos perceber pela carne, isto é, pelos olhos, pelos ouvidos e por outros sentidos do corpo. É necessário que as crianças se prendam com amor a essas formas carnais ou corporais; aos adolescentes, porém, quase não é necessário; em seguida, com o progresso da idade, já não é necessário.

A que homens ou livros deve-se crer para o culto à autoridade de Deus.

25. 46. Por isso, porque a divina Providência provê não só a cada um dos homens quase individualmente, mas também a todo o gênero humano quase publicamente, o que dá a cada um em particular é sabido por Deus que age e por aqueles com os quais ele age. O que faz com o gênero humano, porém, quis que fosse manifestado pela história e pela profecia. Mas a fé das coisas temporais, quer as passadas, quer as futuras, é mais questão de crença do que de inteligência. Nossa tarefa, porém, é examinar a que homens ou a que livros se deva crer para prestar o devido culto a Deus, nossa única salvação. Sobre isso, a primeira questão é se cremos antes naqueles que nos chamam a cultuar muitos deuses, ou naqueles que propõem um só Deus. Quem duvida que se deva seguir sobretudo aqueles que propõem um só, especialmente se os que cultuam muitos deuses consideram a este como único Senhor e reitor de todas as coisas? E, certamente, pela unidade começa-se a contar os números. Por isso, primeiramente, devemos seguir aqueles que afirmam que o sumo Deus é o verdadeiro e o único que se deve adorar. Se junto a eles a verdade não brilhar, então se deverá mudar. De fato, como na própria natureza das coisas é maior a autoridade de um que leva tudo à unidade, e, como no gênero humano, nulo é o poder da multidão se não houver unanimidade, isto é, na unidade do sentir: assim, na religião, maior e mais digna de fé deve ser a autoridade daqueles que propõem adorar a um único Deus.

25. 47. O segundo problema a ser considerado refere-se à diversidade de opiniões surgida entre os homens sobre o culto ao único Deus. Mas sabemos que nossos antepassados, com a gradualidade da fé pela qual sobe-se das coisas temporais para as eternas, seguiram (não podiam fazer diversamente) os milagres visíveis: e por eles agiram de tal modo que os milagres já não eram necessários aos pósteros. De fato, já que a Igreja católica se difundiu e foi fundada por toda a terra, não foi consentido que aqueles milagres durassem até os nossos tempos, para que a alma não procurasse sempre as coisas visíveis e o gênero humano não se resfriasse com aquele costume pelo qual se havia inflamado: e para nós convém que não exista dúvida de que se deve crer naqueles que, embora pregando coisas acessíveis a poucos, todavia, conseguem persuadir os povos a segui-los. Agora, porém, trata-se de estabelecer em quem se deve crer antes de alguém ser capaz de refletir sobre coisas divinas e invisíveis, pois de modo algum uma autoridade humana deve ser anteposta à razão de uma alma purificada e que, na sua evidência, tenha chegado à verdade: mas a ela não se chega pela soberba, na falta da qual não existiriam os hereges, nem os cismáticos, nem os circuncisos na carne, nem os adoradores de criaturas e de imagens. Mas, se estes não existissem antes da perfeição do povo, que foi prometida, a verdade seria procurada com muito mais preguiça.

Quanto à nossa salvação, a divina Providência e as idades do velho e do novo homem.

26. 48. Portanto, a distribuição do tempo e a medicina da divina Providência é assim transmitida aos que pelo pecado mereceram a morte. Primeiramente, é pensada a natureza e a educação de cada homem que nasce. A primeira infância dele é empregada em nutrimentos corporais e, depois, com o crescimento, deve ser completamente esquecida. Segue-se a infância, quando começamos a recordar alguma coisa. A esta sucede a adolescência à qual a natureza já permite a propagação da prole e faz o pai. À adolescência sucede a juventude, durante a qual já devem ser exercidas as funções públicas e deve submeter-se às leis; nela proíbem-se os pecados com mais veemência e a pena dos que pecam obriga servilmente e gera nas almas carnais os mais atrozes ímpetos de prazer e reúnem todas as culpas cometidas. Com efeito, não é um simples pecado cometer não só o que é um mal, mas também o que é proibido. Porém, após as dificuldades da juventude, a idade madura concede um certa paz. Daí, uma idade pior e descolorida e mais sujeita a doenças conduz até a morte. Esta é a vida do homem que vive segundo o corpo e ligado pela concupiscência das coisas temporais. Este é o que se chama homem velho, exterior e terreno (cf. Rm 6,6), embora obtenha a vida que o culto chama de felicidade, numa bem constituída cidade terrena, quer sob os reis, quer sob os príncipes, quer sob as leis, quer sob todas essas coisas: caso contrário, o povo não pode ser bem-organizado, também aquele que segue os bens terrenos; na verdade, também a própria medida tem um certo grau de beleza.

26. 49. Ora, deste homem, que descrevemos como velho, exterior e terreno, quer se mantenha nos limites de sua natureza, quer ultrapasse a medida da justiça servil, alguns vivem tudo desde o nascimento desta vida até o seu ocaso; outros, porém, iniciam esta vida pelo que é necessário, mas renascem interiormente e, com a força do espírito e com os incrementos da sabedoria, corrompem e matam as outras partes e as submetem às leis celestes (cf. Rm 7,25) até que depois da morte visível tudo seja restaurado. Este é chamado homem novo, interior e celeste (cf. 1Cor 15,47-49; Ef 4,24), tendo também ele as suas idades espirituais, diferentes não em proporção aos anos, mas aos progressos. A primeira idade é aquela que transcorre no seio fecundo da história, que o nutre com exemplos. A segunda, quando já começa a esquecer as coisas humanas e tende para as divinas, e não é contido no seio da autoridade humana, mas, mediante procedimentos racionais, apoia-se na lei suma e imutável. A terceira, já mais segura, une o apetite carnal com a força da razão e, quando a alma se une à mente, goza interiormente uma espécie de doçura conjugal, cobrindo-se com o véu do pudor, de modo que vive corretamente, não mais por obrigação, mas porque não tem prazer em pecar, embora todos lhe permitam. A quarta realiza todas essas coisas de maneira mais firme e ordenada e salta para o homem perfeito (cf. Ef 4,13), estando já pronta e idônea para enfrentar e vencer todas as perseguições, tempestades e ondas deste mundo. A quinta, estando calma e totalmente tranquila, vive nas riquezas e na abundância imutável do reino da suprema e inefável sabedoria. A sexta, que é a idade da total transformação na vida eterna, alcança o definitivo esquecimento da vida temporal e passa para a forma perfeita, criada à imagem e semelhança de Deus (cf. Gn 1,26). A sétima, enfim, já é a eterna tranquilidade e a felicidade perpétua e não deve mais ser distinguida por nenhuma idade (cf. Gn 1,1-3). Porém, assim como o fim do homem velho é a morte, do mesmo modo, o fim do homem novo (cf. Rm 6,21-23) é a vida eterna: então, aquele é o homem do pecado; este, o da justiça.

A missão de ambos os homens na história do gênero humano.

27. 50. Sem dúvida alguma, estes dois homens são feitos de tal modo que um deles, isto é, o velho e terreno, pode ser vivido por cada homem por toda esta vida, enquanto o outro, o novo e celeste, ninguém pode vivê-lo nesta vida a não ser com o velho, pois é necessário que comece por este e com este continue até a morte visível, embora um enfraqueça e o outro progrida. De maneira totalmente análoga, o gênero humano, cuja vida é semelhante à vida de um único homem desde Adão até o fim deste mundo, é governando pelas leis da divina Providência, de modo que parece dividido em duas categorias. Uma é constituída pela turba dos ímpios que propõem a imagem do homem terreno do início ao fim do mundo (cf. 1Cor 15,49); a outra é constituída pelas gerações do povo devoto ao único Deus, mas que, de Adão até João Batista, viveu como o homem terreno segundo uma espécie de justiça servil: sua história se chama Velho Testamento e contém a promessa de um reino quase terreno; no seu conjunto, tal história, porém, não é senão a imagem do novo povo e do Novo Testamento, que contém a promessa do reino dos céus. A vida desse povo, enquanto é temporal, começa pela vinda do Senhor na humildade até o dia do juízo, quando há de vir na claridade (cf. Mt 24,30). Depois desse juízo, morto o homem velho, acontecerá a mudança que promete a vida angélica: *Pois todos ressurgiremos, mas não todos seremos mudados* (1Cor 15,51 – Versão Clementina). Portanto, ressurgirá o povo devoto para transformar no homem novo aquilo que nele restou do velho. Ressurgirá também o homem ímpio, que realizou o homem velho do início ao fim, mas para ser precipitado na segunda morte (cf. Ap 2,11). Quem ler com atenção descobre os artigos das idades e não terá horror da cizânia nem da palha (cf. Mt 3,12; 13,38). Pois o ímpio vive pelo devoto, o pecador, pelo justo, para que, mediante o confronto, se eleve com mais ardor até alcançar a perfeição.

O que, a quem e com que meios deve-se ensinar.

28. 51. Porém, aquele que nos tempos do povo terreno mereceu chegar à iluminação do homem interior, por um tempo ajudou o gênero humano, mostrando-lhe o que aquela idade exigia e fazendo-lhe entrever, mediante a profecia, o que não era oportuno mostrar-lhe: e assim aparecem os patriarcas e profetas àqueles que não se entregam a ataques pueris, mas examinam piedosa e diligentemente o tão bom e grande mistério das coisas divinas e humanas. Vejo que, também nos tempos do novo povo, isto é, realizado com muita cautela por homens grandes e espirituais, membros da Igreja católica: pois compreendem que aquilo que fazem popularmente, porque ainda não é tempo de fazê-lo com o povo (cf. 1Cor 3,1-3); nutrem larga e continuamente com alimentos lácteos os muitos ávidos e os poucos sábios, porém são alimentados com alimentos mais fortes. De fato, falam da sabedoria só aos perfeitos (cf. 1Cor 2,6); aos seres carnais e vivos, mas embora sejam homens novos, falam ainda como a crianças, escondem algumas coisas, mas sem jamais mentir. Não visam às suas honras vãs nem aos louvores fúteis, mas à utilidade daqueles com os quais mereceram levar uma vida em conjunto. Com efeito, esta é a lei da divina Providência: que não seja ajudado por quem é superior a conhecer e acolher a graça de Deus, aquele que, pelo mesmo fim, não tenha ajudado com sentimento puro quem lhe é inferior. Assim, após o nosso pecado cometido por nossa própria natureza num homem pecador, o gênero humano tornou-se grande decoro e ornamento da terra, e é governado pela divina Providência de maneira tão adequada que sua inefável arte médica muda até a feiura dos vícios em não sei que espécie de beleza.

O segundo subsídio da salvação, isto é, como, guiado pela razão, o homem é conduzido a Deus: descobre-se ao realizar essas coisas primeiramente pelos sentidos.

29. 52. E porque falamos da ação benéfica da autoridade quanto por ora nos pareceu suficiente, vejamos até onde a razão possa progredir ao ir das coisas visíveis para as invisíveis, das temporais para as eternas. De fato, é preciso que não nos seja vão e inútil contemplar a beleza do céu, a ordem dos astros, o esplendor da luz, a alternação dos dias e das noites, o ciclo mensal da lua, a repartição do ano em quatro estações, a correspondência dos quatro elementos, a grande força das sementes que geram as espécies e as multidões de todas as coisas que, no seu gênero, conservam um modo próprio de ser e uma natureza própria. Não devemos considerar essas coisas para exercitar uma curiosidade vã e efêmera, mas para servir-nos delas como escada para nos elevar às coisas imortais e eternas. Com efeito, devemos prestar atenção qual seja a natureza vital em condições de perceber todas essas coisas: pois a elas, certamente, porque dão vida ao corpo, é necessário que se dê mais atenção. Afinal, não se deve estimar qualquer massa se está privada de vida, embora resplandeça de luz visível. Pois é precisamente uma lei da natureza que qualquer substância viva seja superior a qualquer substância não viva.

29. 53. Mas porque ninguém duvida que os animais irracionais vivem e sentem, o aspecto mais excelente do espírito humano não consiste em perceber as coisas sensíveis, mas no fato de julgar as coisas sensíveis. Afinal, muitos animais dispõem de uma vista mais aguda do que os homens e, com outros sentidos, percebem os corpos de modo mais penetrantes; no entanto, julgar os corpos é próprio da vida que não é só sensível, mas também racional, da qual eles estão privados e, por isso, somos superiores. Na verdade, é muito fácil ver que quem julga é superior à coisa julgada. Aliás, a vida racional julga não só as coisas sensíveis, mas também os próprios sentidos; julga, por exemplo, o motivo pelo qual é necessário que o remo imerso na água apareça quebrado, embora seja reto, e por que os olhos o percebem assim. Afinal, a vista pode mostrar o fato, mas, de modo algum, pode julgá-lo. Por isso, é evidente que, como a vida sensível é superior ao corpo, do mesmo modo a vida racional seja superior a ambos.

Todavia, a lei imutável é superior à razão, isto é, a verdade segundo a qual julga.

30. 54. Por isso, se a vida racional julga segundo ela própria, não existe nenhuma natureza que lhe seja superior. Mas, porque é evidente que ela é mutável, quando se descobre que ora é experiente, ora inexperiente, mas julga tanto melhor quando é mais experiente, e é tanto mais experiente quanto mais participa de alguma arte, disciplina ou sabedoria: deve-se buscar a natureza da própria arte, mas não quero entender a arte que se adquire pela experiência, mas aquela que se descobre pela reflexão. Pois que coisa extraordinária sabe quem sabe que as pedras aderem mais firmemente com a matéria feita de cal e areia do que

de barro? Ou quem constrói com mais elegância do que quem faz que todas as partes se correspondam, quer individualmente, quer sejam colocadas no centro? Embora este sentido já seja mais próximo da razão do que da verdade. Mas, certamente, devemos perguntar-nos por que nos incomoda se duas janelas, não sobrepostas, mas postas uma ao lado da outra, uma delas é maior ou menor, quando poderiam ser iguais; e não nos incomoda a desigualdade se sobrepostas e uma é a metade da outra; e já que são duas, não nos interessa muito quanto uma é maior do que a outra. Mas se forem três, o próprio sentido pareceria exigir que fossem iguais ou que, entre a maior e a menor, a que estiver no centro seja tanto maior da menor quanto ela é menor do que a maior. Assim, à primeira vista, seria a própria natureza a julgar o juízo a ser expresso. Igualmente, deve-se notar, sobretudo, que aquilo que é considerado sozinho desagrada menos, e em vez é rejeitado quando confrontado com algo melhor. E então, constatamos que a arte vulgar nada mais é que a lembrança das coisas que experimentamos e foram agradáveis, unidas a um certo uso do corpo e uma habilidade na execução: mas se não tiveres essa habilidade, podes julgar as obras, o que é algo bem superior, embora não possas realizar uma obra artística.

30. 55. Mas em todas as artes agrada a harmonia, que é a única a tornar todas as coisas completas e belas; mas a harmonia exige proporção e unidade, quer pela semelhança das partes simétricas, quer pela graduação das assimétricas: mas, quem pode encontrar a máxima proporção ou semelhança nos corpos e ouse dizer, depois de atenta consideração, que um corpo qualquer possui verdadeira e simplesmente a unidade quando todas as coisas mudam, passando de um aspecto para outro, ou de um lugar para outro, e constam de partes que ocupam lugares próprios, pelos quais são diversamente distribuídas no espaço? Por outro lado, a verdadeira proporção e semelhança, como também a verdadeira e primeira unidade, não se percebem pelos olhos carnais, nem com qualquer outro sentido, mas com a mente do intelecto. Realmente, de onde se exigiria nos corpos a presença de uma proporção qualquer, ou de onde se teria a convicção de que ela é muito diferente da perfeita, se esta não fosse constatada pela mente? A menos que se possa considerar perfeito aquilo que ainda não foi feito.

30. 56. E já que todas as coisas são sensivelmente belas, tanto aquelas geradas pela natureza quanto as elaboradas pelas artes, são belas em relação aos espaços e aos tempos, como o corpo e o movimento do corpo; aquela proporção e unidade conhecidas só pela mente e em base à qual se julga a beleza corpórea pela mediação dos sentidos, não se estende no espaço nem é instável no tempo. Com efeito, não é correto dizer que por elas julga-se a rotundidade de uma roda e não a rotundidade de um vaso; ou segundo elas, julga-se a rotundidade do vaso, e não a rotundidade de uma moeda. De modo semelhante, em relação aos tempos e aos movimentos, é ridículo dizer que em base a eles julga-se a igualdade dos anos, mas não a dos meses, ou a igualdade dos meses, mas não a dos dias. Na realidade, julga-se qualquer coisa que se mova de modo ordenado quer por estes espaços, quer pelas horas, quer por um momento ainda mais breve na base de uma única e imutável proporção. Ora, se para julgar a maior ou menor extensão das figuras emprega-se a mesma lei da igualdade, da semelhança ou da simetria, quer dizer que essa lei é maior do que todas as coisas, mas pela potência. Porém, pela extensão do espaço ou do tempo, não é maior nem menor, porque, se fosse maior, não julgaríamos em base a ela aquilo que é menor; e se fosse menor, não julgaríamos em base a ela aquilo que é maior. Agora, porém, já que é em base à lei da quadratura que se julga quadrada uma praça, e uma pedra, uma tabuinha ou uma pedra preciosa quadradas; e mais, em base à lei da proporção julga-se adequado tanto o movimento dos pés de uma formiga que corre quanto aqueles de um elefante que caminha: quem pode duvidar que tal lei, que potencialmente é superior a tudo, não é nem maior nem menor em relação aos intervalos de espaço e de tempo? Mas essa lei, sendo absolutamente imutável em todas as artes, a mente humana, porém, a quem foi concedido ver tal lei, é exposta à mutabilidade do erro e aparece bastante claro que sobre a nossa mente existe uma lei, que se chama verdade.

Deus é essa lei suprema, segundo a qual a razão julga, mas que não é lícito julgar.

31. 57. E não se pode pôr em dúvida que a natureza imutável que está acima da alma racional seja Deus, e que a primeira vida e a primeira essência estão lá onde se encontra a primeira sabedoria. Pois esta é a verdade imutável que, corretamente, é chamada de lei de todas as artes e a arte do artífice onipotente. Por isso, enquanto se dá conta de que não julga a beleza e o movimento dos corpos em base a si mesma, ao mesmo tempo é oportuno que a alma reconheça que, se a própria natureza é superior àquela segundo a qual julga, é inferior àquela em base à qual julga e que, de modo algum, pode julgar. Com efeito, posso dizer por qual motivo deve existir correspondência simétrica entre as partes semelhantes de cada corpo, porque me agrada aquela suprema proporção que, de certo modo, não percebo com os olhos do corpo, mas com aqueles da mente: por isso, julgo tanto melhor aquilo que percebo com os olhos do corpo quanto mais, por sua natureza, está próximo aquilo que percebo com a alma. Mas, por que as coisas são assim, ninguém pode dizê-lo. Como também ninguém poderia, rigorosamente, afirmar que devem ser assim, como se pudessem ser de modo diferente.

31. 58. Contudo, por que nos agradam e por que, quando as provamos melhor, amamo-las com grande veemência, ninguém que as entendeu ousará dizê-lo. De fato, como nós e todas as almas racionais julgamos corretamente as coisas inferiores segundo a verdade, assim a própria Verdade, sozinha, julga-nos quando nos adequamos a ela. A ela, porém, nem o Pai julga, porque ela não é inferior a Ele e, portanto, aquilo que o Pai julga, julga-o precisamente segundo a verdade. Para todas as coisas que desejam a unidade, a verdade constitui a regra, a forma, o exemplo, ou seja qual for o termo que se use, porque só ela realizou plenamente a semelhança com aquele do qual recebe o ser, admitindo que a expressão "recebeu" não seja usada de maneira imprópria se referida ao Filho, porque ele não tem o ser por si mesmo, mas do primeiro e sumo princípio que se chama Pai, *do qual toda a paternidade no céu e sobre a terra toma o nome* (Ef. 3,15). Portanto, *o Pai a ninguém julga, mas deu ao Filho todo o juízo* (Jo 5,22): e *o homem espiritual julga todas as coisas, sem poder ser julgado por ninguém*

(1Cor 2,15), isto é, por nenhum homem, mas somente por aquela própria lei segundo a qual julga todas as coisas, porque também isso é dito com absoluta verdade: *Todos devemos comparecer diante do tribunal de Cristo* (2Cor 5,10). Portanto, julga tudo porque está acima de todas as coisas quando está com Deus. Mas está com Deus quando entende de maneira muito pura e ama com toda a caridade o que compreende. Assim, quanto lhe é possível, ele próprio identifica-se com a lei segundo a qual julga todas as coisas e que não pode ser julgado por ninguém. Assim como nestas leis temporais, embora os homens as julguem quando as instituem, todavia, quando estão instituídas e consolidadas, os juízes não podem julgá-las, mas julgar por meio delas. O autor das leis temporais, se for um homem bom e sábio, há de considerar eterna a lei e a nenhuma alma é dado julgá-la, para que, segundo suas regras imutáveis, possa discernir o que foi mandado ou proibido. Às almas puras, pois, é consentido conhecer a lei eterna, mas não é consentido julgá-la. A diferença consiste nisso: que para conhecê-la é suficiente constatar que uma coisa é assim como é; para julgar, porém, acrescentamos algo pelo qual mostramos que pode ser diferente, como quando dizemos: Assim deve ser, ou assim teve de ser, ou assim deverá ser; como fazem os artífices em relação às suas obras.

É vestígio de unidade nos corpos, mas a própria unidade não é percebida senão pela mente.

32. 59. Para muitos, porém, o objetivo é o prazer humano e não querem tender para as coisas superiores a fim de julgarem porque as coisas visíveis agradam. Por isso, se eu perguntar ao arquiteto "Por que, após construir um arco, inicia outro semelhante na parte oposta?", creio que responderá "Para que haja uma correspondência simétrica entre as partes do edifício". E se eu continuar a perguntar pelo motivo dessa escolha, ele dirá que a correspondência é conveniente, que isso é belo, que isso agrada aos que observam, e nada mais ousará dizer. Porém, inclinado abaixa os olhos, e não compreende para onde pende. Mas eu, ao homem que vê interiormente e que vê invisivelmente, não deixarei de recordar: por que essas coisas agradam? Para que ouse ser juiz do próprio prazer humano. Assim, então, ultrapassa o prazer, não será dominado por ele, pois não julga segundo o prazer, mas o próprio prazer. E antes, perguntarei se as coisas são belas porque agradam, ou se agradam porque são belas. Sem dúvida, me responderá que agradam porque são belas. E continuarei a perguntar: por que são belas? E se ele hesitar, sugerirei que, talvez, seja porque as partes são semelhantes entre si e, por uma espécie de ligação íntima, estão reunidas numa só harmonia.

32. 60. Quando tiver sido informado disso, lhe perguntarei se as partes atingem de maneira completa a unidade à qual manifestamente tendem ou se ficam muito abaixo e, de certo modo, estão mentindo. E se for assim (pois quem, admoestado, não vê que não existe nenhuma forma, nem corpo, que não apresente em si algum sinal de unidade; e que um corpo, por mais belo que seja, não pode chegar à unidade, já que, por causa de sua extensão, suas partes dispõem-se necessariamente em pontos diversos do espaço?). Portanto, se as coisas estão assim, pedirei-lhe com insistência que me diga onde ele vê essa unidade e de onde a vê, porque, se não a visse, de onde poderia saber que imitam os corpos em seu aspecto e o que não conseguem alcançar plenamente? Afinal, quando diz aos corpos: Na verdade, vós não seríeis nada se não existisse alguma unidade a manter-vos juntos; mas, por outro lado, se vós fôsseis a própria unidade, não seríeis corpos; corretamente, pode-se dizer-lhe: Onde conheceste esta unidade segundo a qual julgas os corpos, já que, se não a visses, não poderias julgar por que os corpos não a alcançam plenamente: mas se a visses com os olhos do corpo, não dirias verdadeiramente que estão muito distantes dela, embora tragam em si um sinal? Pois, com estes olhos não vemos senão as coisas corporais: por isso, vemos a unidade com a mente. Mas onde a vemos? Se estivesse no lugar em que está o nosso corpo, não a veria quem, no Oriente, julga os corpos desse modo. Por isso, ela não está contida num lugar e, porque está presente onde existe alguém que julga, de fato, não está em nenhum lugar, se, em potência, está em toda a parte.

Não são os corpos, nem os sentidos do corpo, mas o juízo que mente. É diferente quem mente e quem engana.

33. 61. Mas, se os corpos simulam a unidade, não devemos crer em quem simula para não cairmos nas vaidades dos que criam vaidades, mas antes devemos perguntar, já que simulam porque parece que a mostram com os olhos carnais, quando é vista pela mente pura, se somente simulam enquanto lhe são semelhantes, ou enquanto não a alcançam. De fato, se a alcançassem, realizariam plenamente aquilo que imitam. E se a realizassem plenamente, seriam absolutamente semelhantes. Mas se fossem absolutamente semelhantes, não haveria nenhuma diferença entre sua natureza e aquela dos corpos. E se assim fosse, não a simulariam, mas seriam o que ela é. Todavia, para os que olham com mais atenção, não simulam: porque simula quem quer ser visto o que não é. Porém, não querendo ser considerado diferente do que é, não simula, mas engana. Afinal, quem simula distingue-se daquele que engana, pois naquele que simula existe sempre a vontade de enganar, embora não se creia nele; mas não pode ser enganador quem não engana. Ora, as espécies corpóreas, porque não têm nenhuma vontade, não simulam: mas se não são consideradas o que não são, também não podem enganar.

34. 62. Mas nem os próprios olhos enganam; com efeito, não podem transmitir ao espírito senão a sua impressão. E se não só eles, mas também todos os sentidos do corpo transmitem para impressionar, não sei o que mais devamos exigir deles. Por isso, suprima os criadores de vaidades e já não haverá vaidade alguma. Se alguém julga que o remo pode ser quebrado mergulhando-o na água e que se torna inteiro uma vez retirado de lá, não significa que existe um mau mensageiro, mas um mau juiz. Pois, por sua própria natureza, o olho não pôde nem teve de perceber outra coisa na água: afinal, se o ar é uma coisa e outra é a água, é justo que se sinta uma coisa no ar e outra na água. Por isso, o olhos veem corretamente; afinal, foram feitos para isso, só para ver; o espírito, porém, ao contrário, porque para contemplar a suprema beleza foi feita a mente, não o olho. Ora, ele quer dirigir a mente para os corpos e os olhos para Deus. Então, procura compreender as coisas carnais e ver as espirituais; mas isso não é possível.

Como julgar as imagens formadas.

34. 63. Por isso, devemos corrigir esta perversidade, porque a alma, se não puser para baixo o que está no alto e no alto o que estiver embaixo, não estará preparada para o reino dos céus. Não busquemos, pois, as coisas supremas entre as ínfimas e não nos apeguemos às ínfimas. Julguemos tais coisas para não sermos julgados com elas, isto é, julgamo-las tanto quanto merecem as coisas de ínfima beleza para não sermos postos entre os últimos por aquele que é o primeiro, já que buscamos as coisas primeiras entre as últimas. De fato, aquilo que nada se opõe às coisas últimas, a nós, ao contrário, opõe-se muito. E nem por isso a administração da divina Providência falta ao próprio decoro, porque tanto os injustos estarão ordenados entre os justos quanto os feios entre os belos. E, se formos enganados pela beleza das coisas visíveis, porque é contida pela unidade e não alcança a unidade por completo, compreendamos, se pudermos, que não somos enganados por aquilo que existe, mas por aquilo que não existe. De fato, todo o corpo é um verdadeiro corpo, mas uma falsa unidade. Pois não é o Uno supremo, ou não o imita a ponto de alcançá-lo; todavia, não seria o próprio corpo se, de algum modo, não tivesse a unidade. Mas de modo algum poderia ter a unidade se não a tivesse daquele que é a suprema unidade.

34. 64. Ó almas obstinadas, dai-me alguém que veja sem a imagem das realidades carnais. Dai-me alguém que veja que não existe todo o princípio do uno, a não ser o único uno do qual existe todo o uno, quer se realize completamente, quer não se realiza completamente. Dai-me quem veja, não quem contesta, não quem queria parecer que vê aquilo que realmente não vê. Dai-me quem resista aos sentidos da carne e aos golpes que, através deles, sentiu na alma; quem resista aos costumes do homens, resista aos louvores dos homens; que se arrependa em seu leito (cf. Sl 4,5), que renove o seu espírito, que não ame as vaidades exteriores e busque as mentiras (cf. Sl 4,3); afinal, que saiba dizer a si mesmo: se Roma é uma só, fundada segundo se diz por um certo Rômulo, próximo ao Tibre, é falsa esta imagem que tenho com o pensamento; de fato, não é a mesma nem estou ali com o espírito, pois o que ali aconteceu eu o saberia. Se o sol é um só, é falso aquele que eu imagino com o pensamento, pois ele não realiza suas órbitas em espaços e tempos determinados; mas a este eu o coloco onde quero e quando quero. Se aquele meu amigo é um só, é falso este que imagino com o pensamento; afinal, não sei onde aquele está, mas a este eu o imagino onde quero. Eu mesmo, certamente, sou um só e sinto que meu corpo está neste lugar. Todavia, com o pensamento vou para onde eu quero e falo com qualquer um. Tudo isso é falso e ninguém compreende as coisas falsas. Portanto, não compreendo quando contemplo e creio nestas coisas, porque se é necessário que seja verdadeiro o que contemplo com o intelecto, serão, por acaso, estas coisas que costumamos chamar de imagens? Disso depende, pois, que minha alma está cheia de ilusões? Onde está, então, o verdadeiro que se percebe com a mente? Assim, ao que pensa pode-se dizer: a verdadeira luz é aquela pela qual reconheces que estas coisas não são verdadeiras. Por ela, vês aquele uno em base ao qual julgas que é uno aquele outro que vê e, todavia, o que vês que é mutável não é aquilo que é.

Deve-se estar livre para que se conheça a Deus.

35. 65. Mas, se o aspecto da mente se perturba ao perceber essas coisas, acalmai-vos; não combatais, a não ser com o costume dos corpos: vencei os costumes e tudo será vencido. Certamente, buscamos o Uno, e nada é mais simples do que isso. Portanto, busquemo-lo na simplicidade do coração (cf. Sb 1,1). Diz: *Parai e reconhecei que eu sou o Senhor* (Sl 45,11): não com o ócio da preguiça, mas com o ócio do pensamento, para que vos livreis dos espaços e dos tempos. De fato, as imagens que provêm da excitação e da volubilidade não permitem ver a unidade constante. Os espaços apresentam coisas que devem ser amadas, os tempos roubam o que amamos, deixando na alma uma multidão de imagens que estimulam a cobiça, ora para um objeto, ora para outro. Assim, o espírito torna-se inquieto e atormentado no seu vão desejo de possuir aquilo que é possuído. Por isso, é convidado ao ócio, isto é, a não amar as coisas que não podem ser amadas sem causar preocupações. Assim, pois, não seremos dominados por elas, não seremos possuídos, mas possuiremos. Disse: *O meu jugo é leve* (Mt 11,30). Quem está sujeito a esse jugo tem todas as coisas sujeitas. Portanto, não se angustiará: de fato, o que é sujeito não lhe fará resistência. Porém, miseráveis os amigos deste mundo (cf. Tg 4,4), de quem deverão ser senhores se quiserem ser filhos de Deus, porque deu-lhes o poder de se tornarem filhos de Deus (cf. Jo 1,12); portanto, os amigos deste mundo temem muito ser separados do abraço do mundo que para eles nada é mais penoso do que não penar.

A própria verdade é a palavra de Deus, porque enche absolutamente aquilo por cujo princípio é uno o que é uno. A falsidade não está nas coisas, mas nos pecados.

36. 66. Mas a quem é claro ao menos que a falsidade consiste em crer que exista aquilo que não existe, esse compreende que é a verdade que mostra aquilo que existe. Porém, se os corpos enganam enquanto não realizam completamente aquela unidade que, como é provado, imitam, ou seja, por aquele princípio pelo qual é uno tudo o que existe, naturalmente aprovamos tudo o que se esforça por assemelhar-se a ele; porque, naturalmente, desaprovamos aquilo que se afasta da unidade e tende a ser sua dessemelhança; então, compreende que existe algo tão semelhante a este Uno – Princípio do qual deriva a unidade de tudo aquilo que de algum modo é unitário – que o realiza completamente e identifica-se com ele; e esta é a Verdade e o Verbo no Princípio, o Verbo de Deus junto a Deus (cf. Jo 1,1). Portanto, se a falsidade deriva das coisas que imitam o uno, não enquanto o imitam, mas enquanto não conseguem realizá-lo completamente, a Verdade é aquela que conseguiu realizá-lo completamente e ser aquilo que ele é; a verdade mostra-o como existe, por isso também é corretamente chamada seu Verbo e sua Luz (cf. Jo 1,9). As outras coisas podem ser ditas semelhantes àquele uno enquanto existem, já que, como tais, também são verdadeiras: mas esta é sua própria semelhança e, por isso, a Verdade. De fato, é pela verdade que são verdadeiras as coisas que são verdadeiras, assim a semelhança é a forma das coisas semelhantes. Portanto, como a verdade é a forma das coisas verdadeiras, assim a semelhança é a forma das coisas semelhantes. Por isso, dado que as coisas verdadeiras são verdadeiras enquanto existem e existem enquanto são semelhantes ao Uno, que é seu princípio, a suma semelhança ao Princípio é a forma de todas as coisas que existem; e esta é a verdade, porque não tem dessemelhança alguma.

36. 67. Daí que a verdade não se origina das próprias coisas que enganam, porque a quem as observa mostram apenas o aspecto que receberam segundo o seu grau de beleza, nem os próprios sentidos, que enganam porque, impressionados pela natureza de seu corpo, transmitem outra coisa senão as impressões do espírito que as governa: mas os pecados enganam as almas quando procuram o verdadeiro depois de ter abandonado e esquecido a verdade. Mas, porque amaram as obras mais do que o artista e a própria arte, e por este erro são punidas: procurando o artífice e a arte nas obras e não conseguindo encontrá-los (pois Deus não só não é objeto dos sentidos do corpo, mas está acima da própria mente), julgam que as próprias obras estão na arte e no artífice.

A impiedade da múltipla idolatria nasceu do amor pelas criaturas.

37. 68. Daqui brota toda impiedade, não só daqueles que pecam, mas também dos condenados por seus pecados. Com efeito, não só querem explorar a criatura contra o preceito divino e antes gozar dela do que da própria lei e da verdade – e nisso consiste o pecado do primeiro homem que fez mau uso do livro-arbítrio – mas, nessa sua própria condenação, fazem mais, pois não só amam, mas também servem às criaturas mais do que ao Criador (cf. Rm 1,25), e as veneram em suas partes, das mais altas às mais baixas. No entanto, alguns limitam-se a isto: em lugar do sumo Deus veneram a alma e a primeira criatura dotada de intelecto, que o Pai criou por meio da Verdade, para que contemplasse sempre a própria Verdade e, através dela, a Ele próprio, enquanto lhe é semelhante sob todos os aspectos. Depois, passam para a vida geradora, através da qual Deus eterno e imutável produz os seres que geram as coisas visíveis e temporais. Daí procedem para venerar os animais e daí escapam para venerar os próprios corpos, e nestes escolhem em primeiro lugar os mais belos, entre os quais sobressaem sobretudo os corpos celestes. Portanto, o primeiro que se encontra é o sol e no sol alguns se detêm. Outros julgam digno de culto também o esplendor da lua: de fato, está mais próxima de nós, segundo se crê e, por isso, pensa-se que tenha um aspecto mais familiar. Outros acrescentam outros corpos celestes e todo o céu com suas estrelas. Outros, ao céu etéreo unem o ar e sujeitam suas almas a estes dois elementos corpóreos superiores. Mas entre estes julgam os mais religiosos aqueles que se referem como o único grande Deus, do qual todas as outras coisas são parte, toda a criação, isto é, o mundo inteiro com tudo aquilo que contém, e o princípio vital pela qual respira e é animado, e que alguns creem corpóreo, outros incorpóreo. De fato, não conhecendo o Autor e Criador do universo, lançam-se sobre os ídolos e, depois de imergirem-se nas coisas de Deus, imergem-se nas próprias obras, que, todavia, são ainda visíveis.

Outro tipo de idolatria, ao qual o pecador serve com tríplice concupiscência.

38. 69. De fato, existe outra espécie de culto aos ídolos, pior e mais baixo, pela qual veneram as suas imagens e respeitam com o nome de religião tudo aquilo que em sua mente errante imaginaram, pensando com soberba e orgulho até que a alma tomou consciência de que simplesmente nada se deve adorar e que erram os homens que se envolvem na superstição e se enrolam numa mísera escravidão. Mas em vão sentem isso, pois não conseguem libertar-se; realmente, permanecem nos mesmos vícios para os quais foram atraídos a ponto de considerá-los dignos de adoração. Com efeito, servem a uma tríplice concupiscência: do prazer, da ambição e da curiosidade.

Excluo que entre eles exista alguém que julga que nada se deve adorar se não estiver sujeito aos prazeres carnais ou que não nutra uma vã ambição de poder ou que não enlouqueça por algum espetáculo. Assim, sem dar-se conta, amam as coisas temporais a ponto de esperar delas a felicidade; e das coisas com as quais esperam tornar-se felizes tornam-se escravos, quer queiram, quer não. E acabam no seguinte: seja para onde forem levados, no medo de que alguém possa levá-los embora. Mas podem levá-lo ou com uma chama de fogo ou com um pequeno animal. Por fim, para omitir as inúmeras adversidades, existe o tempo que leva embora todas as coisas passageiras. Portanto, já que este mundo compreende todas as realidades temporais, que julga que nada se deve adorar para não se tornar escravo, de fato, são escravos de todas as partes de que o mundo é constituído.

38. 70. Na verdade, embora estejam reduzidas à extrema miséria a ponto de serem dominadas por seus vícios, condenados pela luxúria ou pela soberba ou para curiosidade, ou por duas delas, ou por todas: enquanto estão neste estádio da vida humana, podem combater e vencer se antes crerem que ainda não conseguem compreender e não amem o mundo, porque, como o próprio Deus disse: *Tudo o que está no mundo é concupiscência da carne, concupiscência dos olhos e ambição mundana* (1Jo 2,16). Os três vícios são assim designados: a concupiscência da carne indica quem ama os prazeres mais baixos, a concupiscência dos olhos indica os curiosos, a ambição do mundo, os soberbos.

38. 71. Também a tríplice tentação no homem, que a própria Verdade assumiu e mostrou que devemos cuidar dela. O tentador disse: *Ordena a estas pedras que se tornem pães*; mas o único e autêntico mestre respondeu: *Não só de pão vive o homem, mas de toda a palavra que sai da boca de Deus* (Mt 4,3-4). Assim, ensinou que é preciso dominar os desejos do prazer, de maneira a não ceder nem à fome. Mas quem não pôde ser atraído pelo prazer da carne, talvez pudesse ser enganado pelo fausto do poder temporal; por isso, foram-lhe mostrados todos os reinos do mundo, e foi dito: *Tudo isso te darei se prostrado me adorares*. Mas lhe foi respondido: *Adorarás o Senhor teu Deus e só a ele servirás* (Mt 4,8-10; cf. Dt 6,13-14). Assim, foi pisada a soberba. Mas foi dominada também a última tentação, a de curiosidade: o tentador o impelia a lançar-se do pináculo do templo com o único objetivo de dar uma prova; porém, nem neste caso foi vencido, e respondeu de maneira a nos fazer compreender que, para conhecer a Deus, não são necessárias provas para descobrir as coisas divinas de modo visível. E disse: *Não tentarás o Senhor teu Deus* (Mt 4,7; cf. Dt 6,16). Portanto, quem se nutre interiormente da palavra de Deus não busca o prazer no deserto desse mundo. Quem está sujeito só ao único Deus não busca no monte, isto é, através da elevação terrena. Quem está firmemente ligado ao espetáculo eterno da verdade imutável não busca precipitar-se da parte mais alta desse corpo, isto é, os olhos, para conhecer as coisas temporais e inferiores.

Por seus próprios vícios, a alma é admoestada a buscar a primeira beleza: primeiramente, é mostrado o vício do prazer até o capítulo 43.

39. 72. Por isso, o que sobra, para que não se possa recordar à alma a primitiva beleza que ela perdeu, quando pode fazê-lo de seus próprios vícios? Assim, pois, a Sabedoria de Deus *atinge fortemente de uma extremidade a outra* (Sb 8,1). Dessa forma, através dela, o sumo artífice dispôs todas as suas obras de modo ordenado para a única finalidade da beleza. Assim, aquela bondade não negou a nenhuma criatura, da mais alta à mais baixa, a beleza que só dele pode vir: de modo que ninguém possa afastar-se da própria verdade sem levar consigo alguma imagem da verdade. Pergunta o que existe no prazer do corpo e encontrarás que nada mais existe do que a harmonia: pois se a resistência produz dor, a harmonia produz prazer. Reconhece, pois, em que consiste a suprema harmonia: não saias para fora de ti, permanece em ti mesmo: a verdade habita no homem interior: e se encontrares que tua natureza é mutável, transcende a ti mesmo, e transcendes a alma racional. Portanto, tende para onde se acende a luz da razão. De fato, o que acontece a quem sabe usar bem a razão, a não ser a verdade? Já que não é a verdade que chega a si mesma pelo raciocínio, mas é a ela que buscam os que usam a razão. Veja nisso uma harmonia insuperável e age de modo a estar de acordo com ela. Confessa que não és aquilo que é a verdade: de fato, ela não busca a si mesma; tu, porém, chegaste a ela não passando de um lugar a outro, mas procurando-a com a disposição da mente, de modo que o homem interior pudesse unir-se com aquilo que habita nele, não no luxo do prazer da carne, mas naquele supremo do espírito.

39. 73. Mas, se não tens clareza daquilo que eu digo e tens dúvidas se é verdade, cuida ao menos de não duvidar daquilo que tens dúvidas; e se tens certeza de que estás duvidando, procura o motivo pelo qual tens certeza: nesse caso, não se apresentará a ti a luz deste sol, mas a luz verdadeira que ilumina todo o homem que vem a este mundo (cf. Jo 1,9). Pois ela não pode ser percebida com estes olhos, nem com os olhos pelos quais são pensadas as representações que os próprios olhos imprimem na alma; mas com aqueles pelos quais dizemos às próprias representações: "Não sois vós que eu busco e não sois nem o princípio em base ao qual vos ponho em ordem; e o que entre vós me parecer feio, eu o desaprovo, e aprovo o que achar belo; e, já que o princípio pelo qual desaprovo e aprovo é mais belo: aprovo-o mais e o anteponho não só a vós, mas também a todos os corpos dos quais vos tirei". Por isso, a própria regra que vês, concebe-a desse modo: Todo aquele que compreende que está duvidando compreende o verdadeiro e tem certeza daquilo que compreende; portanto, tem certeza sobre o verdadeiro. Assim, quem duvida da existência da verdade tem em si mesmo o verdadeiro e, por isso, não pode duvidar dele; mas nenhum verdadeiro é verdadeiro a não ser pela verdade. Por isso, não é conveniente duvidar da verdade quem pôde duvidar por qualquer motivo. Onde se virem estas coisas, ali existe a luz sem espaço de lugares e de tempos e não podem ser representadas em forma espacial ou de tempo. Tais coisas podem corromper-se em alguma parte, embora todo o ser que reflete desapareça ou envelheça sob os impulsos carnais inferiores. Com efeito, a reflexão não faz tais coisas, mas as encontra. Portanto, antes de serem descobertas, permanecem em si mesmas, e quando são descobertas, renovam-nos.

A beleza dos corpos e o prazer da carne, e o castigo dos que pecam.

40. 74. Assim, renasce o homem interior (cf. 2Cor 4,16), enquanto o homem exterior corrompe-se dia após dia. Mas o interior olha para o exterior e o vê feio em comparação a si mesmo; todavia, o vê belo no seu gênero, alegre pela harmonia que é própria dos corpos e capaz de assimilar aquilo que transforma em benefício, isto é, os alimentos da carne: estes, uma vez que foram assimilados, isto é, que perderam a própria forma, passam a constituir a matéria da qual são feitos esses membros e reconstituem o que foi desagregado, assumindo outras formas semelhantes a elas. Mediante o impulso vital, pois, são de algum modo selecionados, de modo que aqueles que entre eles estão adaptados são assumidos na estrutura de nossa beleza visível; aqueles, porém, que não estão adaptados são expulsos para caminhos oportunos. Desses últimos, alguns são restituídos à terra como excremento, para assumir outras formas, outros florescem por todo o corpo, outros ainda acolhem em si as ordens temporais de todos os seres vivos, preparando-se para a procriação e, quando são estimulados pela união dos corpos ou pela imagem de tal união, defluem da sumidade da cabeça através dos órgãos genitais para um baixo prazer. Depois, na mãe, segundo uma ordem bem determinada, são predispostas numa ordem espacial, de modo que todos os membros ocupem seu lugar. E se estes mantiveram a justa proporção, uma vez acrescentado o esplendor da cor, nasce o corpo que se diz formoso e que é intensamente amado por aqueles que o amam. Todavia, aquilo que mais agrada nele não é a beleza que é animada, mas a vida que a anima. De fato, este ser vivo, se nos ama, atrai-nos a si com mais força; mas, se nos odeia, irritamo-nos e não conseguimos suportá-lo, mesmo que nos ofereça a sua própria beleza para que a gozemos. Tudo isso é o reino do prazer e da beleza mais baixa, porque está sujeito à corrupção; se não fosse assim, seria considerada a suprema beleza.

40. 75. Mas intervém a divina Providência para mostrar que tal beleza não é má, porque nela são evidentes os vestígios das supremas harmonias nos quais se manifesta a sabedoria ilimitada de Deus; e para mostrar que se trata de uma beleza ínfima, misturando dores, doenças, deformações dos membros, trevas da cor, rivalidade e divergências dos espíritos, somos admoestados a procurar aquilo que não muda. Realiza tudo isso através dos ínfimos servidores, que as divinas Escrituras chamam de anjos exterminadores e anjos da ira (cf. 1Cor 10,10; Ap 15,7), os quais sentem prazer em fazer isso, embora não saibam que benefício daí possam tirar. Semelhantes a eles são os homens que sentem prazer nas desgraças alheias e procuram encontrar motivos de riso ou de divertidos espetáculos com as desgraças e os erros dos outros. E isso tudo serve de admoestação e prova para os bons, e assim eles vencem, triunfam e reinam; os maus, porém, são enganados atormentados, vencidos, condenados e obrigados a servir não ao único e sumo Senhor de todas as coisas, mas aos últimos dos seus servos, ou seja, os anjos que se nutrem das dores e da miséria dos condenados e que, por causa de sua malvadeza, afligem-se pela libertação dos bons.

40. 76. Assim, todos, segundo seus ofícios e suas finalidades, são ordenados em relação à beleza do universo, de maneira que aquilo que é considerado em si mesmo causa-nos horror, mas, considerado no conjunto agrada-nos muitíssimo: porque, ao julgar um edifício, não devemos limitar-nos a considerar um ângulo apenas, nem num homem belo, somente os cabelos, nem num bom orador, somente o movimento dos dedos, nem no curso da lua, somente as fases de três dias. De fato, essas coisas que, por isso, são ínfimas, porque compostas de partes imperfeitas, são, todavia, perfeitas no seu conjunto: sua beleza pode ser percebida quer no descanso, quer no movimento; todavia, deve-se considerá-las no seu conjunto se quisermos julgá-las corretamente. Mas nosso verdadeiro juízo é belo, quer se refira ao conjunto, quer a uma parte: enquanto é conforme a verdade, com ele transcendemos o mundo inteiro e não ficamos presos a uma de suas partes. Nosso erro, porém, é feio por si mesmo enquanto nos faz aderir a uma de suas partes. Mas, como a cor negra, numa pintura, torna-se bela em relação ao conjunto, assim o campo da vida, no seu conjunto, revela-se aceitável porque a imutável divina

Providência assinala um papel aos vencidos, outro a quem luta, outro ainda aos vencedores e um aos espectadores, enfim, um último aos pacíficos que contemplam somente a Deus, já que em todos eles não existe mal a não ser o pecado e a pena do pecado, ou seja, a separação voluntária da mais alta essência e o afã involuntário na mais baixa, ou, para dizê-lo em outros termos, a liberdade em virtude da justiça e a servidão em consequência do pecado (cf. Rm 6,20).

A beleza no castigo da alma que peca.

41. 77. O homem exterior corrompe-se, quer pelo progresso do homem interior, quer por defeito próprio. Mas, no progresso interior, corrompe-se de modo que é reconstituído para melhor e é integralmente restituído ao som da última trombeta (cf. 1Cor 15,52), para não mais ser corrompido, nem corromper. Por seu defeito, porém, precipita-se para belezas mais corruptíveis, isto é, na ordem das penas. E não nos admiremos que ainda as chame de "belezas"; afinal, não existe nada que, enquanto entra em ordem, não seja belo, porque, como diz o Apóstolo, *toda a ordem vem de Deus* (Rm 13,1). Mas é preciso reconhecer que um homem que chora é melhor do que um vermezinho feliz; e, todavia, sem qualquer mentira, poderei tecer um amplo elogio ao vermezinho, considerando o esplendor de sua cor, a forma bem torneada do corpo, a proporção entre as partes anteriores das que estão no meio e entre estas e as partes posteriores, a tendência à unidade que elas conservam, embora na humildade de sua natureza: não existe nenhuma parte do vermezinho que não encontre plena correspondência na outra. Que dizer do princípio vital que anima o modo de modular o seu corpo, de como o move ritmicamente, de como o faz procurar aquilo que lhe convém, de como o faz superar ou prevenir-se, enquanto pode, dos obstáculos e de como, referindo tudo somente ao instinto de conservação, deixa entrever, da maneira muito mais evidente do corpo, a unidade que o faz ser todas as coisas? Mas falo de qualquer vermezinho vivo. Muitos pronunciaram louvores à cinza e ao esterco de modo amplo e com grande verdade (cf. Cícero, Catão 15,54). Por que, então, admirar-se quando digo que a alma do homem – melhor do que qualquer corpo, onde quer que esteja e como seja – pertence à ordem das belezas e que de suas penas brotam outras belezas, embora, na sua miséria, encontram-se onde convém que estejam os miseráveis, mais do que os bem-aventurados?

41. 78. Decididamente, que ninguém nos engane. Tudo o que é corretamente desprezado é rejeitado em relação a algo melhor. Toda a natureza, embora extrema ou ínfima, em comparação com o nada é louvada com justiça. E então, ninguém está bem se pode estar melhor. Por isso, para nós, se pode ser um bem permanecer com a própria verdade, é um mal permanecer com um vestígio qualquer da verdade; portanto, muito pior com o que resta do vestígio quando aderimos aos prazeres da carne. Assim, vençamos as adulações e as mágoas desse prazer; subjuguemos em nós esta mulher, se somos homens. Sob o nosso comando, também ela será melhor e já não se chamará concupiscência, mas temperança; mas, se ela comandar e nós a seguirmos, se chamará concupiscência e paixão, e nós seremos considerados temeridade e estultice. Sigamos a Cristo, nossa cabeça, para que nos siga aquele que é nosso guia (cf. 1Cor 11,3; Ef 5,23). Isso pode ser prescrito também às mulheres, não por direito conjugal, mas por direito de fraternidade, pois em Cristo não somos nem homem nem mulher (cf. Gl 3,28). De fato, também elas têm algo de viril para submeter aos prazeres da mulher, e assim servir a Cristo e dominar a concupiscência. Na economia do povo cristão, aliás, isso acontece não só em muitas viúvas e virgens consagradas a Deus, mas também em muitas mulheres casadas que cumprem os deveres conjugais com fraterna disponibilidade. Pois se da parte sobre a qual Deus nos prescreve que tenhamos o domínio, exortando-nos e ajudando-nos a entrar na posse de nós mesmos, por negligência e impiedade o homem, isto é, pela mente e pela razão, se tornará súdito e ele será, certamente, um homem torpe e infeliz. Mas, nesta vida, ele tem um destino e, depois desta vida, um lugar para o qual o supremo Reitor e Senhor julga justo destiná-lo e colocá-lo. Por isso, nenhuma deformidade pode manchar a criação no seu conjunto.

O prazer da carne admoesta-nos a buscar a harmonia indivisível. Ou eles estão em algum movimento vital.

42. 79. Caminhemos, pois, enquanto temos dia (cf. Jo 12,35), isto é, enquanto podemos usar a razão, de modo que, voltados para Deus, mereçamos ser iluminados por seu Verbo, que é a verdadeira luz, e jamais seremos envolvidos pelas trevas (*ibidem*). De fato, o dia é para nós a presença daquela luz que *ilumina todo o homem que vem a este mundo* (Jo 1,9). Disse homem, porque pode valer-se da razão e, onde caiu, ali pode apoiar-se para se levantar. Portanto, se o prazer da carne é amado, preste-se mais atenção a ele e, quando ali forem reconhecidos os vestígios de algumas harmonias, deve-se procurar onde estão sem perturbação, pois ali está o maior grau de unidade de seu ser. E se tais traços estão presentes no próprio impulso vital que age nas sementes, ali

devem ser admirados mais do que no corpo. Mas, se os ritmos vitais das sementes tivessem uma expansão semelhante à expansão das próprias sementes, de meio grão de figueira nasceria meia árvore de figueira e de sementes animais não íntegras nasceriam animais não íntegros e completos e uma só e pequeníssima semente não teria a ilimitada força reprodutiva de sua espécie. Mas de uma só semente, segundo a sua natureza, podem propagar-se, através dos séculos, messes de messes, selvas de selvas, rebanhos de rebanhos, povos de povos, sem que haja, numa tão ordenada sucessão, uma loucura ou algo cuja razão de ser não tenha estado naquela primeira e única semente. Depois, considerem-se as ordenadas e suaves belezas dos sons que o ar transmite quando vibra ao canto do rouxinol: certamente, a alma daquele passarinho não poderia criá-las espontaneamente a seu bel prazer, se não as trouxesse impressas, de maneira não material, no seu impulso vital. O que se disse pode ser encontrado também nos outros animais, os quais, embora sejam privados da razão, todavia, não são privados dos sentidos. De fato, entre eles não existe nenhum que, no som da voz ou em outro movimento e ação dos membros, não produza algo harmônico e na medida do seu gênero, não por efeito de alguma ciência, mas por uma ordem intrínseca à sua natureza, regulada pela imutável lei da harmonia.

No homem, a força de julgar sobre a proporção dos corpos e dos tempos. Na perpétua verdade está a razão da ordem.

43. 80. Voltemos a nós e omitamos aquilo que temos em comum com as árvores e os animais. De fato, a andorinha faz o ninho de uma única maneira, e assim também cada espécie de aves o faz de outro modo. O que existe, então, em nós que, a propósito de todas essas coisas, nos consente que julguemos a que visam as formas e até que ponto as realizam e que, nos edifícios e nas outras obras materiais, nos permite que inventemos inúmeras formas, como se fôssemos os senhores de todas as formas? O que existe em nós que, interiormente, nos faz compreender que essas mesmas massas visíveis dos corpos são grandes ou pequenas em proporção; que cada corpo, por menor que seja, pode ser dividido em duas partes e que, mesmo assim dividido, por ser dividido ainda em inúmeras partes; que cada grão de milho, em relação a uma parte sua – que ocupa nele tanto espaço quanto o nosso corpo neste mundo – é tão grande quanto é o mundo em relação a nós? E mais, que nos faz compreender que todo este mundo é belo não pela grandeza, mas pela relação entre suas formas; que ele aparece grande não por sua amplidão, mas pela nossa pequenez, isto é, dos seres vivos dos quais está cheio, e que, por sua vez, já que podem ser divididos ao infinito, não são tão pequenos em si mesmos, mas em relação aos outros seres e, sobretudo, ao próprio universo? De maneira totalmente semelhante acontece com o tempo, porque, como cada extensão espacial, assim também cada duração temporal pode ser dividida por dois e, por mais breve que seja, tem um início, um desenvolvimento e um término. Portanto, deve inevitavelmente ter duas partes, já que se divide no curso de seu proceder para o fim. Por isso, a duração de uma sílaba breve é breve em relação a uma que é mais longa, e a hora invernal é mais curta em relação àquela do verão. E como são durações breves aquelas de uma só hora em relação ao dia, de um dia em relação ao mês, de um mês em relação ao ano, de um ano em relação ao lustro, de um lustro em relação a períodos mais longos e destes em relação à totalidade do tempo. Contudo, essa mesma sucessão harmônica e, de certo modo, graduação de intervalos de lugares e de tempos, é julgado não pela extensão ou pela duração, mas pela ordenada disposição.

43. 81. A própria norma da ordem, porém, vive na eterna verdade, sem extensão pelo volume, imutável quanto à duração; mas, pela potência, é maior do que todos os lugares e, pela eternidade, mais estável do que todos os tempos. Sem ela, porém, não seria possível levar à unidade a amplidão de nenhum volume, nem se poderia tirar da dispersão o desenvolvimento de nenhum tempo: não poderia existir nada, nem um corpo que seja um corpo, nem um movimento que seja um movimento. Tal norma é a unidade principal, não grossa pelo finito ou pelo infinito, nem mutável pelo finito ou pelo infinito. De fato, não tem uma parte aqui, outra lá; ou um agora e um depois, porque sumamente uno é o Pai da Verdade, Pai de sua Sabedoria, que, enquanto lhe é semelhante em cada uma de suas partes, é chamada sua imagem e semelhança, já que procede dele. Por isso, com justiça é chamada também de Filho que procede dele, enquanto todas as outras coisas são feitas por meio dele. De fato, a forma de todas as coisas, que realiza plenamente o Uno do qual procede, veio antes, para que todas as coisas que existem, enquanto são semelhantes ao Uno, fossem feitas por meio dele.

O Filho é a imagem de Deus, para a qual algumas coisas foram feitas.

44. 82. Algumas dessas coisas são feitas mediante tal forma e de maneira a serem feitas em vista dela, como é o caso de todas as criaturas dotadas de razão e de intelecto, entre as quais o homem que, com muita justiça, se diz que é feito à *imagem e semelhança de Deus* (cf. Gn 1,26-27); caso contrário, não estaria em condições de contemplar com a mente a imutável verdade.

Outras, porém, são feitas mediante ela, mas não para ela. Por isso, se a alma racional servir a seu Criador, do qual, mediante o qual e pelo qual é feita, todas as outras coisas ser-lhe-ão sujeitas: seja a vida em seu nível mais alto, que lhe é muito semelhante e lhe serve de ajuda para dominar o corpo; seja o próprio corpo, que é a mais baixa das naturezas e essências, que ela dominará enquanto é plenamente disponível à sua vontade e da qual não receberá moléstia alguma, porque não procurará a felicidade nele, nem por meio dele, mas a receberá de Deus por sua própria natureza. Por isso, a alma governará o corpo, regenerado e santificado, sem o dano da corrupção e sem o peso das dificuldades. *Afinal, na ressurreição, nem os homens terão mulheres, nem as mulheres, maridos, mas serão como os anjos no céu* (Mt 22,30). *Os alimentos são para o ventre e o ventre para os alimentos; mas Deus destruirá tanto aquele como estes* (1Cor 6,13), *porque o reino de Deus não é comida nem bebida, mas justiça, paz e gozo* (Rm 14,17).

A fraqueza do prazer impele-nos para as coisas mais sublimes.

45. 83. Por isso, também neste prazer do corpo encontramos aquilo que nos solicita a desprezá-lo; não porque o corpo seja um mal por natureza, mas porque aquele ao qual é consentido elevar-se a bens mais altos e gozar deles revolve-se torpemente no amor de um bem ínfimo. Quando a auriga é arrastada, o cocheiro paga os castigos de sua temeridade, acusa qualquer coisa de que se servia; mas implore auxílio, peça socorro ao Senhor das coisas, segure os cavalos já prontos a dar outros espetáculos de sua queda e matá-lo se não for socorrido, se não lhe for restituído o lugar, colocado sobre as rodas; retome o controle das rédeas, guie com mais prudência os indômitos animais; então perceberá que o carro foi bem construído nos seus vários componentes, qual foi o problema que o fez cair e perder o andamento justo e moderado na sua corrida. Com efeito, o que no paraíso terrestre tornou fraco este corpo foi a avidez de alma que agiu mal quando se apropriou do alimento proibido contra a prescrição do Médico no qual foi reposta a salvação eterna.

45. 84. Portanto, se nesta mesma fraqueza da carne visível, onde não pode existir uma vida feliz, encontramos uma admoestação da vida feliz, que vai do nível mais alto e se difunde até o nível mais baixo, quanto mais a encontramos no desejo de notoriedade e de excelência e em cada soberba e vanglória deste mundo? Que mais o homem deseja em tudo isso senão ser o único, se fosse possível, ao qual tudo está sujeito, embora seja uma perversa imitação do Deus onipotente? Se o imitasse sujeitando-se a Ele, vivendo segundo os seus preceitos, mediante Ele teria cada coisa sujeita e não chegaria a tamanha torpeza de temer um animalzinho qualquer, ele que pretende comandar os homens. Portanto, também na soberba está presente um certo desejo de unidade e de onipotência; todavia, no puro domínio das realidades temporais, que todas passam como sombra (cf. 1Cor 29,15).

45. 85. Com razão, queremos ser invencíveis: o nosso espírito tem essa aspiração por natureza, concedida pelo próprio Deus, que a criou à sua imagem. Mas deveríamos observar os seus preceitos; se os tivéssemos observado, ninguém nos teria vencido. Agora, porém, enquanto aquela a cujas palavras torpemente consentimos, é obrigada a suportar as dores do parto (cf. Gn 3,16-17), e nós nos esforçamos na terra e, com grande vergonha, somos vencidos por tudo aquilo que consegue perturbar-nos e subverter-nos. Assim, não queremos ser vencidos pelos homens e não conseguimos vencer a ira. Existe uma vergonha mais detestável do que esta? Confessemos que este homem é aquele que somos nós: mesmo que tenha vícios, todavia, ele próprio não é o vício. Por isso, não é mais honesto que o homem nos vença do que sermos vencidos pelo vício? Mas quem duvida que a inveja seja um vício horrível, pelo qual é inevitavelmente atormentado e sujeito quem não quer ser vencido pelas coisas temporais? É melhor, portanto, que vença um homem do que a inveja ou qualquer outro vício.

Invencível é somente aquele que ama aquele que não pode ser tirado daquele que ama, isto é, Deus, de todo o coração e o próximo como a si mesmo.

46. 86. Mas não pode ser vencido por homem algum quem tiver vencido os seus vícios. De fato, não é vencido senão aquele a quem o adversário roubar aquilo que ama. Portanto, quem ama somente aquilo que não lhe pode ser tirado, inevitavelmente é invencível e, de modo algum, é atormentado pela inveja. De fato, ama um ser que quanto mais numerosos forem aqueles que chegam a amá-lo e possuí-lo, tanto mais abundantemente alegra-se com eles. Realmente, ama a Deus com todo o coração, com toda a alma e com toda a mente. E ama o próximo como a si mesmo (cf. Mt 22,37). Por isso, não inveja que seja como ele próprio é, antes, quanto puder, ajuda-o. Não pode perder o próximo que ama como a si mesmo, porque aquilo que ama em si mesmo não são as coisas que caem sob os olhos ou sob algum outro sentido do corpo. Portanto, tem em si mesmo aquele que ama como a si mesmo.

46. 87. Porém, a regra do amor consiste em querer que os bens que vêm a nós, venham também ao outro, e em não querer que aconteçam ao outro os males que não queremos que nos aconteçam a nós mesmos (cf. Tb 4,16): conserva essa vontade em relação a todos os homens. Não se deve fazer o mal a ninguém: *e o amor não faz o mal ao próximo* (Rm 13,10). Amemos, pois, como nos foi ordenado, também os nossos inimigos (cf. Mt 5,44), se verdadeiramente quisermos ser invencíveis. Com efeito, nenhum homem é invencível por si mesmo, mas por aquela imutável lei pela qual só os que a respeitam são livres. Então, assim não lhes pode ser tirado aquilo que amam: e somente isso os torna homens invencíveis e perfeitos. Realmente, se o homem não amar o homem como a si mesmo, mas como ama um jumento, um banho ou um passarinho multicolorido e barulhento, isto é, para tirar dele algum prazer ou vantagem material, inevitavelmente não se submete ao homem, mas o que é mais torpe e um vício muito vergonhoso e detestável, porque não ama o homem como deveria ser amado. Mas se for dominado pelo vício, este o acompanha até o fim da vida, ou antes, até a morte.

46. 88. Mas, na verdade, o homem não deve ser amado como se amam os irmãos carnais, os filhos, os cônjuges, os parentes, os afins ou os concidadãos: afinal, também este amor é temporal. De fato, não teríamos nenhum desses laços, que provêm do nascer e do morrer, se nossa natureza, respeitando os preceitos e a imagem de Deus, não se tivesse envolvida nessa corrupção.

Por isso, a própria Verdade, chamando-nos à primitiva e perfeita natureza, ordena-nos que resistamos aos costumes carnais, ensinando-nos que não é apto para o reino de Deus quem não odiar esses vínculos carnais (cf. Lc 9,62). E convém que a ninguém isso pareça coisa inumana; pois é mais inumano não amar no homem aquilo que o homem é, mas amar que é filho: de fato, isso não é amar nele aquilo que se refere a Deus, mas amar aquilo que se refere a si mesmo. O que existe de admirável se não chega ao reino de Deus quem não ama aquilo que se refere a todos, mas aquilo que se refere a si somente? Ame-se um e outro, dirá alguém; não, só um, diz Deus. De fato, com muita justiça afirma a Verdade: *Ninguém pode servir a dois senhores* (Mt 6,24). Portanto, ninguém pode amar de modo completo aquilo ao qual é chamado se não odiar aquilo do qual é solicitado a manter-se distante. Ora, somos chamados à natureza humana perfeita, assim como Deus a fez antes do nosso pecado; porém, somos solicitados a não amar aquela que merecemos por nosso pecado. Por isso, devemos detestar a natureza da qual desejamos ser libertados.

46. 89. Portanto, deveremos odiar os vínculos temporais se ardermos de amor pela eternidade. *O homem ame o próximo como a si mesmo* (cf. Lc 10,27). Ora, certamente ninguém é para si mesmo pai, filho, parente ou algo semelhante, mas somente homem: quem ama alguém como a si mesmo, nele deve amar aquilo que ele é para si mesmo. Ora, os corpos não são aquilo que nós somos; por isso, não é o corpo que se deve procurar ou desejar no homem. A esse propósito, vale também o preceito: *Não desejes os bens do teu próximo* (Ex 20,17). Por isso, quem no próximo ama outra coisa daquilo que ele é para si mesmo, não o ama como a si mesmo. Portanto, o que se deve amar é a natureza humana em si mesma, independentemente de sua condição carnal, tanto se já for perfeita quanto se ainda deve ser aperfeiçoada. Sob o único Deus Pai são todos parentes aqueles que o amam e fazem a sua vontade. Entre si, depois, eles são pais um para o outro quando se ajudam, são filhos quando se obedecem reciprocamente e, sobretudo, irmãos, porque única é a herança à qual o único Pai os chama com seu testamento (cf. Mt 12,48-50).

O verdadeiro amor ao próximo: quem o assume é invencível.

47. 90. Por isso, por que não deveria ser invencível quem, amando o homem, nele não ama senão o homem, isto é, a criatura de Deus, feita à sua imagem, enquanto não pode estar privado da natureza perfeita que ama, quando ele próprio é perfeito? De fato, por exemplo, assim como se alguém ama quem canta bem, não este ou aquele, mas somente aquele que canta bem, já que ele próprio é um cantador perfeito; assim, quer que todos sejam como ele para que não lhe venha a faltar aquele que ele ama, porque ele próprio canta bem. Mas, se inveja alguém que canta bem, não é o canto que ama, mas o louvor ou algo semelhante que deseja obter cantando bem ou que pode perder, em parte ou inteiramente, em presença de outro que canta bem. Portanto, quem inveja aquele que canta bem não ama aquele que canta bem; ao contrário, quem não tem tais capacidades não é um bom cantor. Tudo isso pode-se dizer, de maneira mais apropriada, de quem vive corretamente, porque não pode invejar ninguém: de fato, o fim a que chegam aqueles que vivem corretamente conserva as mesmas dimensões para todos e não sofre diminuições, mesmo que muitos as possuam. E pode chegar o tempo em que o bom cantor não consiga cantar de maneira adequada e pode necessitar da voz do outro, pela qual lhe mostra aquilo que ama; como quando se está num banquete, num lugar onde seria torpe cantar, mas honroso ouvir alguém que canta: ora, viver bem é sempre honroso. Portanto, quem ama viver corretamente e o faz, não só não inveja seus imitadores, mas também, enquanto pode, apresenta-se a eles com grande disponibilidade e cortesia, mesmo sem ter necessidade disso; de fato, aquilo que neles ama possui-o em si mesmo de maneira total e perfeita. Assim, quando ama o próximo como a si mesmo, não sente inveja dele, porque não a sente nem por si mesmo; dá-lhe aquilo que pode, porque o dá a si mesmo; não tem necessidade dele, porque não tem necessidade de si mesmo: tem necessidade somente de Deus, porque unindo-se a Ele é feliz. Com efeito, ninguém pode tirar-lhe Deus. Portanto, com muita vontade e certeza é invencível o homem que se une a Deus, não porque obtém dele outro bem qualquer, mas porque por Ele não existe nenhum outro bem além de estar unido a Deus (cf. Sl 72,28).

47. 91. Este homem, enquanto estiver nesta vida, serve-se do amigo para trocar a graça, do inimigo para exercitar a paciência, daqueles aos quais pode fazer o bem para fazer-lhes o bem, de todos para dar prova de sua bondade. E embora não ame os bens temporais, usa-os corretamente, ajudando os homens segundo a sua condição, se não pode fazê-lo de modo igual para todos. Portanto, se fala mais prontamente com algum dos seus familiares do que com qualquer outro, não significa que o ame mais, mas que lhe tem maior confiança e mais aberta a porta do tempo. Com efeito, trata tanto melhor aqueles que estão ocupados nas questões terrenas quanto menos ele está obrigado ao tempo. Por isso, já que não pode ser útil igualmente a todos aqueles que ama, seria injusto se não pudesse sê-lo para os que lhe estão mais próximos. O laço espiritual, porém, é mais forte do que o laço do lugar e do tempo, no qual somos gerados como seres corpóreos, e é um laço fortíssimo que prevalece sobre todos. Por isso, este homem não se aflige com a morte de alguém, porque quem ama a Deus com toda a alma sabe que aquilo que não perece para Deus, nem para si perece. Ora, Deus é o Senhor dos vivos e dos mortos (cf. Rm 14,9). Por isso, como a justiça do outro não o torna justo, assim a infelicidade do outro não o torna infeliz. E como ninguém pode tirar-lhe a justiça, nem Deus, assim ninguém é perturbado pelo perigo, pelo erro ou pela dor de alguém, e está disposto a servir-se da oportunidade para socorrê-lo, corrigi-lo ou consolá-lo, mas não para destruir a si mesmo.

47. 92. Porém, em todas as incumbências de ofício não é enfraquecido, certamente, na expectativa da paz futura. Afinal, o que prejudicará aquele que sabe usar bem também o inimigo? De fato, não tem inimizades aquele que é protegido e sustentado por aquele cujo preceito e dom o faz amar o inimigo. Este homem não se entristece demais nas tribulações, antes, alegra-se, sabendo que *a tribulação produz a paciência, a paciência produz a fidelidade provada, a fidelidade comprovada produz a esperança. A esperança não engana, porque o amor de Deus foi derramado em nossos corações pelo Espírito Santo que nos foi dado* (Rm 5,3-5). Quem poderá prejudicar a este? Quem poderá subjugá-lo? O homem que progride na prosperidade, na adversidade aprende a conhecer os progressos que realizou. Quando há abundância dos bens que mudam, não confia neles, mas quando lhe são subtraídos, descobre que se deixou levar por eles: porque, muitas vezes, quando nos estão presentes, julgamos que não os amamos; mas quando começarem a faltar descobrimos quem somos. De fato, perdemos sem dor aquilo que possuímos sem amá-lo. Portanto, parece vencer, entretanto, na verdade é vencido quem, superando-se, chega àquilo que deverá deixar com dor; e vence, enquanto parece que seja vencido aquele que, renunciando, alcança aquilo que não poderá perder sem sua vontade.

O que é a perfeita justiça.

48. 93. Então, quem ama a liberdade, espere estar livre do amor pelas coisas mutáveis; e quem gosta de reinar, una-se, como súdito, a Deus, o único que reina sobre todos, amando-o mais do que a si mesmo. Esta é a perfeita justiça pela qual amamos mais o que vale mais e amamos menos o que vale menos. Este ame a alma sábia e perfeita assim como a vê, a estulta, porém, não como tal, mas porque pode ser perfeita e sábia, já que não deve amar nem a si mesmo enquanto estulto. Pois quem ama a si mesmo enquanto estulto não fará progressos para a sabedoria e ninguém se tornará o que deseja ser se não odiar a si mesmo como é. Mas enquanto não chegar à sabedoria e à perfeição, suporte a estultice do próximo com a mesma disposição de espírito com a qual suportaria a própria estultice, se fosse estulto e amasse a sabedoria. Por isso, se a própria soberba é uma sombra da verdadeira liberdade e do verdadeiro reino, também por meio dele a divina Providência nos lembra de que coisa nós pecadores somos sinais e para onde devemos retornar, uma vez corrigidos.

A seguir, a curiosidade, porque por este vício somos admoestados a contemplar a verdade.

49. 94. Que outra coisa, então, objetivam todos os espetáculos e tudo aquilo que chamamos curiosidade, a não ser a alegria de conhecer as coisas? Portanto, o que existe de mais admirável, de mais belo, do que a própria verdade, à qual cada espectador confessa que deseja chegar, quando vigia atentamente para não ser enganado e, depois, gloria-se se no espetáculo e consegue conhecer alguma coisa e julgá-la com maior agudez e vivacidade do que os outros? Olham também com muita atenção o prestidigitador, embora não prometa nada mais do que o engano, e o observam com muito cuidado; e se são enganados, alegram-se com a ciência daquele que os engana, não podendo fazer o mesmo com a própria ciência. Realmente, se o prestidigitador não soubesse por quais motivos os espectadores são enganados, ou acreditasse não saber, ninguém o aplaudiria, estando também ele no erro. Mas se alguém do povo, sozinho, descobre o truque, julga merecer um louvor maior do que o seu, senão por outro motivo, porque não pôde enganar nem ser engando. Mas se o engano é claro a muitos, o prestidigitador não é louvado, sendo ridicularizados todos os outros que não foram capazes de descobri-lo. Assim, a palma da vitória é dada sempre ao conhecimento, à perícia técnica e à capacidade de compreender a verdade: a ela, porém, de modo algum chegam aqueles que a buscam fora de si mesmos.

49. 95. Contudo, estamos submersos em tantas frivolidades e torpezas que, à pergunta se é preferível o verdadeiro ou o falso, a uma só voz respondemos que é preferível o verdadeiro; mas depois, agarramo-nos aos jogos e brincadeiras, onde certamente estão as coisas falsas que nos alegram, não aquelas verdadeiras, com muito mais inclinação do que os preceitos da verdade. Assim, somos punidos por nosso juízo e nossa palavra porque, com razão, reconhecemos boa uma coisa, enquanto por vaidade seguimos uma outra (cf. Rm 7,14-23). Mas uma coisa nos diverte e nos torna alegres até sabermos em relação a que a verdade não provoca o riso. Porém, amando tais coisas, afastamo-nos da verdade e não encontramos mais de que coisas elas são imitações; desejamo-las intensamente como se fossem belezas supremas e, mesmo afastando-nos delas, abraçamos as nossas imaginações. E se depois tornamos a procurar a verdade, elas aparecem no caminho e não nos deixam passar, assaltando-nos sem violência, mas com hábeis insídias, porque não compreendemos em todo o seu valor o que é dito: *Guardai-vos dos ídolos* (1Jo 5,21).

49. 96. Por isso, alguns foram levados por inúmeros mundos por seu pensamento vagante. Outros julgaram que Deus não poderia ser senão um corpo de fogo. Outros, ainda, com suas fantasias, imaginaram que o esplendor da luz fosse estendido a toda a parte pelos espaços infinitos, mas que uma parte fosse interrompida por um ponto negro e, por isso, conjeturaram dois reinos opostos, pondo-os como princípio das coisas. Se os obrigasse a jurar sobre a verdade dessas ideias, talvez não ousariam fazê-lo, mas, por sua vez, me diriam: Então, mostra-nos tu o que é verdadeiro. E se nada lhes respondesse a não ser que devem procurar aquela luz pela qual lhes aparece e é certo que uma coisa é crer, outra compreender (cf. Is 7,9); também eles jurariam que não se pode ver essa luz com os olhos, nem se pode pensar como difusa num amplo espaço e que está à disposição de quem a procura em toda a parte, e que não se pode encontrar nada mais certo e mais claro do que ela.

49. 97. Por outro lado, tudo aquilo que agora eu disse dessa luz da mente torna-se manifesto somente por força dessa mesma luz. Com efeito, por ela compreendo que são verdadeiras as coisas ditas e por ela ainda compreendo que as compreendo: e assim acontece sempre de novo quando cada um compreende que compreende alguma coisa e ainda compreende este seu compreender. Compreendo que se pode ir ao infinito e que em tudo isso não existe desenvolvimento algum, nem em sentido espacial, nem em sentido temporal; além disso, compreendo que não poderia compreender se não vivesse e, com maior certeza, compreendo viver de maneira mais intensa quando compreendo: é precisamente por sua intensidade que a vida eterna supera a vida temporal. E não consigo perceber em que consiste a eternidade a não ser com a inteligência. Com o olhar da mente, de fato, distingo a eternidade de tudo aquilo que é mutável e nela não vejo algum intervalo de tempo, porque os intervalos de tempo brotam dos movimentos passados e futuros das coisas. Na eternidade, porém, nada passa e nada deve acontecer, porque aquilo que passa deixa de existir e o que deve acontecer ainda não começou a existir. A eternidade existe somente: não foi, como se já não existisse, nem será, como se ainda não existe. Por isso, somente ela pôde dizer à mente humana com plena verdade: *Eu sou aquele que sou* (Ex 3,14); e com igual verdade dela se pôde dizer: *Aquele que é enviou-me a vós* (cf. *ibidem*).

A razão das Escrituras e das interpretações. Quádrupla alegoria.

50. 98. Se ainda não podemos gozar a eternidade, atribuamos isso, ao menos, às nossas imaginações e tiremos de cena de nossa mente jogos tão fúteis e enganadores. Usemos os degraus que a divina Providência dignou-se construir para nós. De fato, quando demasiadamente tomados por divertidas imagens, perdíamo-nos em nossos pensamentos e voltávamos toda a vida a certos sonhos vãos, de certo modo, Deus, na sua indizível misericórdia, não desprezou jogar conosco, crianças, por meio de parábolas e semelhanças recorrendo a sons e escritos, já que a criatura racional está sujeita às suas leis, ao fogo, à fumaça, à nuvem, à coluna como a palavras visíveis, e curar nossos olhos interiores com esta espécie de barro (cf. Jo 9,6).

50. 99. Distingamos, portanto, a fé que devemos à história daquela que devemos à inteligência e o que devemos confiar à memória, sem saber que é verdade, todavia, crendo. Distingamos, além disso, onde está a verdade que não vem e não passa, mas permanece sempre do mesmo modo. E mais, qual é o modo pelo qual devemos interpretar a alegoria que, no Espírito Santo, cremos proferida mediante a sabedoria: se é suficiente estendê-la das coisas visíveis mais antigas para as coisas visíveis mais recentes, ou até as afeições e a natureza da alma, ou até a imutável eternidade; se algumas dessas alegorias indicam atos visíveis, outros movimentos do espírito, outras, ainda, a lei da eternidade; e se existem algumas nas quais é necessário investigar todas essas coisas. E em que consiste a fé estável, seja histórica e temporal, ou espiritual e eterna, para a qual deve-se orientar cada interpretação segundo a autoridade; e em que medida a fé nas coisas temporais aproveita para a compreensão e a obtenção das realidades eternas, que são o objetivo de todas as boas ações. E que diferença existe entre a alegoria da história e aquela do fato, e entre a alegoria do discurso e aquela do rito sacro; e como a própria linguagem das divinas Escrituras deve ser entendida segundo as características de cada língua, pois cada língua tem certos seus próprios gêneros de expressão, que, traduzidos para outra língua, parecem não ter sentido. A que aproveita tamanha humildade de falar pela qual, nos livros sagrados, encontram-se não só expressões que se referem à ira de Deus, à sua tristeza, ao seu despertar do sono, à sua memória, a seu esquecimento e a muitas outras coisas que podem aparecer aos homens bons, mas também termos como arrependimento, zelos, devassidão e outros semelhantes. E se os olhos de Deus, as mãos, os pés e outros membros desse gênero, que são mencionados nas Escrituras, devem ser entendidos segundo o aspecto visível do corpo humano, como acontece para o elmo, o escudo, a espada, o cinto e semelhantes, ou em referências às faculdades inteligíveis e espirituais (cf. Ef 6,14-17). E, sobretudo, deve-se perguntar que proveito tem para o gênero humano o fato de a divina Providência ter falado conosco através de uma criatura racional, gerada e corpórea, a ela submissa. Uma vez conhecido isso, a alma liberta-se de toda a audácia pueril e se abre à sacrossanta religião.

A perscrutação das Escrituras como remédio da curiosidade.

51. 100. Por isso, omitidas e repudiadas as frivolidades do teatro e da poesia, alimentemos e bebamos com a meditação e o estudo das divinas Escrituras o espírito cansado e atormentado pela fome e pela sede da vã curiosidade, e que inutilmente deseja revigorar-se e saciar-se com imagens vazias semelhantes a alimentos pintados: instruamo-nos com esta salutar ocupação realmente liberal e nobre. Se sentimos prazer pela maravilha dos espetáculos e pela beleza, aspiremos a ver a Sabedoria que se estende com força de um confim a outro e governa tudo suavemente (cf. Sb 8,1). De fato, o que é mais admirável do que a força incorpórea que cria e governa o mundo corpóreo? E o que é mais belo do que aquela que o ordena e o adorna?

E a curiosidade e outros vícios são ocasião para a virtude.

52. 101. Mas se todos confessam que percebemos essas coisas pelo corpo e que a alma é melhor do que o corpo, a alma não verá nada por si mesma e aquilo que possa ver não será muito mais excelente e superior? E até, recordados por aquilo que julgamos ao examinar a norma em base à qual julgamos e levados pelas obras das artes a considerar as leis das próprias artes, com a mente contemplaremos aquela beleza em relação à qual são feias as coisas que, graças a ela, são bonitas. *De fato, depois da criação do mundo, as coisas invisíveis de Deus, compreendendo-se pelas coisas feitas, tornaram-se visíveis, e assim o seu poder eterno e a sua divindade* (Rm 1,20). Nisso consiste o retorno das realidades temporais para as realidades eternas e a renovação da vida com a passagem do homem velho para o homem novo. Mas o que existirá para que o homem não possa ser recordado que deve chegar às virtudes, quando até os próprios vícios podem exercer tal função? Realmente, a que aspira a curiosidade senão ao conhecimento, que pode ser certo somente se se referir às realidades eternas e que não mudam mais? O que deseja a soberba senão o poder, que tem por objetivo a liberdade de ação, que só é alcançada pela alma perfeita, sujeita a Deus e voltada com sumo ardor para o seu reino? O que deseja o prazer do corpo senão a tranquilidade, que se encontra somente onde não existe nenhuma indigência e nenhuma corrupção? Portanto, devem ser evitados os infernos inferiores, isto é, as penas mais graves depois desta vida, onde já não é possível recordar a verdade, não sendo possível o uso da razão, porque já não se está inundado pela verdadeira luz que *ilumina todo o homem que vem a este mundo* (Jo 1,9). Apressemo-nos, portanto, e caminhemos enquanto é dia, para que as trevas não nos surpreendam (cf. Jo 12,35). Apressemo-nos a libertar-nos da segunda morte (cf. Ap 20,14), onde não existe ninguém que se recorde de Deus e do inferno, onde ninguém louvará a Deus (cf. Sl 6,6).

Os objetivos dos estultos são diferentes dos objetivos dos sábios.

52. 102. Mas são infelizes os homens que desprezam as coisas que conhecem e se alegram com as novidades, preferem aprender mais do que saber, embora o saber seja o objetivo do aprender. E aqueles aos quais é vil a facilidade de ação, com mais prazer lutam do que vencem, embora a vitória seja o objetivo de quem luta. E aqueles aos quais desagrada a saúde do corpo, preferem comer a saciar-se e preferem usufruir os membros genitais do que sofrer tal excitação; encontram-se também aqueles que preferem dormir do que não ter sono. Todavia, o objetivo de todos esses prazeres é de não ter fome ou sede, de não desejar a relação sexual e de não experimentar o cansaço físico.

53. 103. Por isso, aqueles que aspiram aos próprios objetivos, primeiramente não sentem curiosidade, porque sabem que o conhecimento certo é o conhecimento interior e gozam dele quanto esta vida lhes consente. Depois, deixada a obstinação, chegam à liberdade de ação, cientes de que não se opor à curiosidade de alguns é vitória maior e mais fácil, e mantêm essa disposição quanto lhes é possível nesta vida. Por fim, obtêm também o repouso do corpo, abstendo-se das coisas que não são indispensáveis para esta vida: assim, sentem o gosto de quão suave é o Senhor (cf. Sl 33,9). E não haverá dúvida sobre o que acontecerá depois desta vida, e se nutrem da fé, da esperança e da caridade (cf. 1Cor 13,13) em vista da própria perfeição. Depois desta vida, porém, também o conhecimento se tornará perfeito, porque, se agora o nosso conhecimento é incompleto, uma vez chegada a perfeição, ele já não será tal (cf. 1Cor 13,9-10): e a paz será total. Com efeito, agora nos meus membros age uma lei que é contrária àquela da minha mente, mas a graça de Deus, por meio de Jesus Cristo nosso Senhor, nos libertará deste corpo de morte (cf. Rm 7,23-25); porque, enquanto estamos a caminho com nosso adversário, em grande parte estamos de acordo com ele (cf. Mt 5,25): então, o corpo gozará da perfeita saúde e não haverá nenhuma indigência e nenhum cansaço, porque esta realidade corruptível, no tempo e segundo a ordem na qual acontecerá a ressurreição da carne, se vestirá de incorruptibilidade (cf. 1Cor 15,53-54). Não será de admirar, porém, se isso for concedido àqueles que no conhecimento amam somente a verdade, na ação, só a paz e no corpo, só a saúde; de fato, para eles, depois desta vida, se cumprirá aquilo que nesta vida amaram.

Os suplícios dos condenados têm sua causa nos seus vícios.

54. 104. Portanto, aos que fazem mau uso de um bem tão grande como a mente, buscando fora dela sobretudo as coisas visíveis, pelas quais deveriam ser induzidos a contemplar o amor às coisas inteligíveis, a eles serão reservadas as trevas exteriores (cf. Mt 22,13). Estas, certamente, têm seu início no prurido da carne e na fraqueza dos sentidos corpóreos (cf. Rm 8,6-7). E os que se deleitam com as lutas fugirão da paz e se envolverão nas maiores dificuldades. Ora, a guerra e a contenda constituem o início da suprema dificuldade.

E o fato de lhe serem amarradas as mãos e os pés (cf. Mt 22,13), creio que isso significa que lhe é tirada toda a liberdade de ação. E aqueles que querem ter sede e fome, e arder e cansar-se na paixão, para sentir prazer em comer e beber, unir-se carnalmente e dormir, amam a indigência, que é o início dos maiores sofrimentos. Portanto, cumpra-se neles aquilo que amam para que ali haja choro e ranger de dentes (*ibidem*).

54. 105. Com efeito, são muitos os que amam todos esses vícios ao mesmo tempo e sua vida consiste em assistir a espetáculos, lutar, comer, beber, unir-se carnalmente, dormir e, no seu pensamento, abraçar somente as imagens que possuem esse gênero de vida e fixar as regras da superstição e da impiedade, deduzindo-as dessas imagens enganosas, às quais se agarram, mesmo que procurem abster-se dos atrativos da carne, porque fazem mau uso do talento que lhes foi dado (cf. Mt 25,14), isto é, da perspicácia da mente, pela qual parecem ultrapassar todos aqueles que são considerados doutos ou cultos ou elegantes. Mas a possuem envolta num sudário ou sepultada na terra, isto é, coberta e sufocada por coisas delicadas e supérfluas ou por paixões terrenas. Por isso, lhes serão amarradas as mãos e os pés e serão lançados nas trevas exteriores, e ali haverá choro e ranger de dentes. Não porque amaram essas coisas (afinal, quem poderia amá-las?), mas porque as coisas que amaram são a origem dessas coisas e, portanto, necessariamente levam quem as ama. De fato, aqueles que preferem ir, em vez de voltar ou chegar, devem ser mandados a lugares mais distantes, porque são carne e um sopro que passa e não volta (cf. Sl 77,39).

54. 106. Porém, quem faz uso dos cinco sentidos do corpo para crer e anunciar as obras de Deus e para promover o amor a Ele, ou da ação e do conhecimento para readquirir a paz e conhecer a Deus, entra na alegria de seu Senhor (cf. Mt 25,21-23). Por isso, o talento que é tomado a quem faz mau uso e é dado a quem fez bom uso dos cinco talentos (cf. Mt 25,14-30; Lc 19,15-26): não porque se possa transferir a agudez da inteligência, mas para que com isso se compreenda que os negligentes e maus podem perdê-la, enquanto os diligentes e piedosos podem obtê-la, mesmo que sejam mais tardios de inteligência. Aquele talento não é dado a quem recebeu dois (afinal, quem o possui já se comporta bem na ação e no conhecimento), mas a quem recebeu cinco. De fato, quem se confia somente às realidades visíveis, isto é, às realidades temporais, não possui ainda a agudez da mente que lhe consinta contemplar as realidades eternas; mas pode obtê-la quem louva a Deus como artífice de todas as realidades sensíveis: e dá prova dele com a fé, espera-o com a esperança e o busca com a caridade (cf. 1Cor 13,13).

Epílogo

Exortando a seguir a verdadeira religião e a afastar-se da falsa.

55. 107. Sendo assim, exorto-vos, homens caríssimos e próximos meus, e convosco exorto a mim mesmo, a corrermos com a rapidez que pudermos para aquilo que, por sua sabedoria, Deus nos exortou. Não amemos o mundo, porque tudo o que existe no mundo é concupiscência da carne, concupiscência dos olhos, vaidade humana (cf. 1Jo 2,15). Não desejemos corromper nem deixar que sejamos corrompidos pelo prazer da carne para não incorrer na ainda mais miserável corrupção das dores e dos tormentos. Não amemos os combates para não sermos entregues ao poder dos anjos que se alegram ao serem humilhados, acorrentados e flagelados. Não amemos os espetáculos visíveis para evitar que, ao nos afastar da verdade e amar as sombras, sejamos lançados nas trevas (cf. Mt 25,30).

55. 108. Que as nossas representações não se tornem para nós a nossa religião. Pois é melhor qualquer coisa verdadeira do que tudo aquilo que pode ser imaginado arbitrariamente; e, todavia, não devemos cultuar a alma, embora a alma seja verdadeira quando imagina coisas falsas. É melhor uma palhinha do que a luz produzida pela vã imaginação de quem fantasia a seu bel-prazer; todavia, faz parte da visão do louco pensar que se deva venerar a palhinha que vemos e tocamos. Que a nossa religião não consista no culto às obras humanas. De fato, são melhores os artífices que as fabricaram, mesmo que este não seja um motivo para venerá-las. Que nossa religião não consista no culto aos animais, pois melhores do que eles são também os últimos entre os homens, que, de qualquer forma, não devemos venerar. Que nossa religião não consista no culto aos mortos: porque, se viveram piedosamente, não se deve pensar que busquem tais honras, mas querem que veneremos aquele por cuja luz se alegram, partilhando com eles o mesmo mérito (cf. Ap 19,10). Portanto, devemos honrá-los como exemplos, não como objeto de culto religioso. Mas, se viveram mal, onde quer que estejam, não devem ser venerados. Que nossa religião não consista no culto aos demônios, porque cada superstição, sendo para eles uma honra e um triunfo, para os homens é um grande tormento e uma perigosíssima torpeza.

55. 109. Que nossa religião não consista no culto às terras e às águas; porque o ar, ainda que pleno de escuridão, é mais puro e mais luminoso do que elas e, todavia, não devemos venerá-lo. Também a religião não consista no culto ao ar mais puro e mais límpido, porque escurece-se quando falta luz; e mais puro do que o ar é o esplendor do fogo, mas nem por isso devemos venerá-lo, embora o acendamos e o apaguemos a nosso bel-prazer. Que nossa religião não seja o culto aos corpos etéreos e celestes, embora, com justiça, sejam antepostos a todos os outros corpos; todavia, são inferiores a qualquer forma de vida. Mas, se são animados, qualquer alma é por si mesma melhor do que um corpo animado e, todavia, ninguém julgará digna de veneração uma alma sujeita aos vícios. Não consiste no culto à vida que se diz própria das árvores, porque é uma vida sem sensibilidade. É do mesmo gênero daquela da qual procede a harmoniosa estrutura do nosso corpo e a vida dos ossos e dos cabelos, que são cortados sem que se experimente sensação alguma. De certo modo, a vida sensível é melhor do que tal vida e, todavia, não devemos venerar a vida dos animais.

55. 110. A nossa religião não consiste na própria perfeita e sábia alma racional, ou naquela preposta para o ministério do universo ou de suas partes, nem naquela que nos maiores homens refere-se à mudança e à reforma de sua porção, porque toda a vida racional, se é perfeita, obedece à imutável verdade que lhe fala interiormente, sem ruído, pois, se não obedece, torna-se viciosa. Não é por si mesma que a ultrapassa, mas pela verdade à qual obedece de boa vontade. Portanto, o que é venerado pelo mais elevado dos anjos, deve ser venerado também pelo último dos homens, porque a própria natureza do homem, ao não o venerar, tornou-se o último. Ora, o anjo não é sábio por um motivo e o homem por outro; nem o anjo é verdadeiro por um motivo e o homem por outro; mas ambos são tais pela única e imutável sabedoria e verdade. De fato, no âmbito do plano de salvação que percorre os tempos, aconteceu que a própria Virtude de Deus, a imutável Sabedoria de Deus (cf. 1Cor 1,24), consubstancial e coeterna ao Pai, se dignasse assumir a natureza humana pela qual nos ensina que o homem deve venerar aquilo que deve ser venerado por toda a criatura dotada de intelecto e razão. Cremos que também os melhores anjos e os mais excelentes ministros de Deus querem que, com eles, veneremos o único Deus, cuja contemplação é para eles a causa da felicidade. Pois não é porque vemos um anjo que somos felizes, mas vendo a verdade, pela qual amamos também os anjos e, com eles, nos alegramos. E não os invejamos pelo fato de gozarem da verdade da maneira mais adequada e sem algum obstáculo que os impeça de amar; porém, amamo-los mais porque também a nós o nosso comum Senhor ordenou que esperemos algo semelhante. Por isso, honramo-los com amor, não com espírito de escravos, nem construindo-lhes templos; afinal, não querem ser honrados assim por nós, porque sabem que nós mesmos, quando somos bons, somos templos do sumo Deus (cf. 1Cor 3,16). Por isso, com justiça está escrito que o anjo proibiu que o homem o venerasse e lhe prescreveu que venerasse o único Deus, a quem ele próprio estava sujeito (cf. Ap 22,8-9).

55. 111. Porém, aqueles que nos convidam a servi-los e a venerá-los como deuses, são semelhantes aos homens soberbos, que, se lhes fosse consentido, quereriam ser venerados do mesmo modo: mas é menos perigoso tolerar esses homens. Todo o domínio do homem sobre os homens termina com a morte de quem domina ou de quem serve; mas a submissão à soberba dos anjos maus refere-se também ao tempo que segue à morte, por isso, deve ser mais temida. Além disso, quem pode se dar conta de que, sob o domínio de um homem, ainda nos é consentido exercer a liberdade de pensamento; sob o domínio desses anjos, porém, temerosos pela nossa própria mente, que é o único olho do qual dispomos para contemplar e perceber a verdade. Portanto, se, de acordo com os nossos vínculos sociais, somos sujeitos a todos os órgãos de poder dados aos homens para governar a república, dando a

César o que é de César e a Deus o que é de Deus (cf. Mt 22,21), não se deve temer que alguém exija de nós um comportamento análogo após a morte. De fato, uma coisa é a submissão da alma, outra a submissão do corpo. Os justos, que colocam todas as suas alegrias somente em Deus, quando alguém dá glória a Deus por suas ações, alegram-se com ele; mas, se são eles que são louvados, corrigem quanto podem aqueles que cometem tal erro; contudo, se não for possível, não se alegram com eles, mas querem que se emendem daquele vício. Ora, se todos os anjos bons e todos os santos ministros de Deus são semelhantes ao justo, e até melhores em pureza e santidade, que temor devemos ter de ofendê-lo, a não ser que sejamos supersticiosos quando, com sua ajuda, procuramos chegar ao único Deus e só a Ele ligamos as nossas almas, de onde se crê que provenha o termo religião, para proteger-nos de toda a superstição?

55. 112. Eis, pois, que eu venero um só Deus, o único princípio de todas as coisas, Sabedoria pela qual é sábia toda a alma sábia, e o próprio Deus pelo qual é feliz tudo aquilo que é feliz. Todo o anjo que ama a Deus, estou certo de que ama também a mim. Todo o anjo que mora nele e pode ouvir as orações humanas ouve-me também nele. Todo o anjo que tem como seu bem nele me ajuda e não pode ter inveja em relação a mim porque participo disso. Digam-me, pois, os adoradores ou os aduladores das partes do mundo, que outro ser, que não seja o ótimo, não liga a si os que veneram o único ser que os melhores amam, de cujo conhecimento gozam e que lhes consente, recorrendo a Ele como princípio de se tornarem melhores. Mas, sem dúvida, não deve ser venerado o anjo que ama seus atos de soberba, que se recusa a ser submissão à verdade e que, querendo ter prazer de seu bem particular, afastou-se do bem comum e da verdadeira felicidade e que subjuga e oprime todos os maus, mas ao qual homem algum é entregue ao seu poder a não ser para ser posto à prova. Sua alegria é nossa miséria e seu dano é o nosso retorno a Deus.

55. 113. Portanto, religuemos a religião ao Deus único e onipotente, porque entre a nossa mente, pela qual o reconhecemos como Pai e a verdade, isto é, a luz interior pela qual cumprimos esse ato, não é interposta criatura alguma. Por isso, nele e com ele veneremos também a própria Verdade, em nada diferente dele, que é a forma de todas as coisas que pelo Uno foram feitas e ao Uno tendem. Assim, aparece claro às almas espirituais que todas as coisas foram feitas segundo essa forma, que é a única a preencher o que todas as coisas desejam. Todavia, as coisas não teriam sido criadas pelo Pai mediante o Filho, e não permaneceriam intactas nos limites de sua natureza,
se Deus não fosse sumamente bom: Ele não

sentiu inveja em relação a nenhuma natureza, que, por obra sua, podia ser boa, e consentiu às coisas que permanecessem no próprio bem, algumas quanto quisessem, outras quanto pudessem. Por isso, junto ao Pai e ao Filho, devemos venerar e permanecer fiéis ao próprio Dom de Deus, igualmente imutável: Trindade de uma única substância, único Deus do qual somos, pelo qual somos e no qual somos (cf. Rm 11,36): afastamo-nos dele deixando de ser semelhantes a Ele, mas não permitiu que perecêssemos: Ele é o princípio ao qual retornamos, a forma que seguimos, a graça pela qual somos reconciliados: o único, por cuja obra fomos criados, por cuja semelhança somos formados para a unidade e por cuja paz aderíamos à unidade. Ele é o Deus que disse "Faça-se", (cf. Gn 1,2; Jo 1,3), e é o Verbo por meio do qual fez tudo aquilo que tem uma substância e uma natureza; Dom de sua bondade, porque agradou a seu autor e ligou-se com Ele para que nada se perdesse daquilo que Ele fez por meio do Verbo. É o único Deus por cuja obra criadora vivemos, por cuja regeneração vivemos segundo a sabedoria e pelo qual, amando-o e gozando dele, vivemos felizes. É o único Deus do qual, pelo qual e no qual existem todas as coisas. A ele seja dada a glória nos séculos dos séculos. Amém (Rm 11,36).

Veja outros livros do selo *Vozes de Bolso* pelo site

livrariavozes.com.br/colecoes/vozes-de-bolso

Conecte-se conosco:

f facebook.com/editoravozes

⊙ @editoravozes

X @editora_vozes

▶ youtube.com/editoravozes

☎ +55 24 2233-9033

www.vozes.com.br

Conheça nossas lojas:

www.livrariavozes.com.br

Belo Horizonte – Brasília – Campinas – Cuiabá – Curitiba
Fortaleza – Juiz de Fora – Petrópolis – Recife – São Paulo

EDITORA VOZES LTDA.
Rua Frei Luís, 100 – Centro – Cep 25689-900 – Petrópolis, RJ
Tel.: (24) 2233-9000 – E-mail: vendas@vozes.com.br